길
(나의 인생길)

지은이 엄재륜

발 행 2024년 3월 5일
펴낸이 황준연
펴낸곳 작가의집
출판사등록 24.2.8(제2024-9호)
주 소 제주도 제주시 화삼북로 136, 102-1004
전 화 010-7651-0117
이메일 huang1234@naver.com

값 : 16,700원
ISBN 979-11-986902-0-3
https://class.authorshouse.net

작가의집은 독자 여러분의 소중한 원고를 기다리고 있습니다.
책을 쓰고 싶거나, 원고가 있다면 이메일을 보내주세요.

차례

2장 내가 걸어간 길

3장 내가 걸어갈 길

추천사

유난히 추웠던 겨울을 보내면
봄꽃이 더욱 반갑습니다.

기암절벽은 긴 세월 동안
바람 불고 물이 흘러
만들어진 흔적이겠지요.

오랜 시간 쌓고 다듬어
추억으로 그리움으로 아쉬움으로
때로는 열정으로
감정을 가다듬어 쓴 글을 마주하고

봄꽃을 대하듯,
기암절벽을 바라보듯
여기에 반가움을 표합니다.

이글이 누군가의 삶에
따뜻함과 희망이 되기를 바랍니다.

성문학교 이사장 권국환

들어가며

나의 인생길 다 간 후에 작은 기록이라도 남기고 싶었다. 그래서 짧은 지식을 가지고 책을 내고자 한다. 지금까지 나의 삶이 힘들고 지친 모습으로 살았지만, 그래도 지나고 보니 감사뿐이고 하나님의 은혜로 노년에 축복을 누렸기에 감사한 마음이다.

야곱이 에서에게서 도망할 때 눈물과 괴로움으로 저 멀리 외갓집으로 피신하여 외삼촌 밑에서 많은 고생을 했지만, 노후에는 아내와 자식들과 손자 손녀를 거느리고 돌아오는 모습을 생각하니 나의 삶도 그런 것 같다. 야곱처럼 어렵게 살고, 어렵게 지나온 것이 지금의 나를 있게 만든 것이라는 생각이 든다. 다시 말하지만 나를 이 땅에 보내신 이도 하나님이요, 나를 살아갈 수 있도록 지켜주신 이도 하나님이시다.

언제나 주님은 나의 갈 길 다 가도록 나의 등 뒤에서 밀어주시니, 나의 삶이 평안을 누리는구나! 내가 어디로 가오리까? 이제는 삶을 위해 사는 것이 아니라 저 천국을 향하여 가는 삶으로 남은 인생 살 것이다.

세상에는 다 부질없는 것뿐이고 다 헛되고 헛되니 다 헛되다.

성경은 말씀하고 있다. 나를 보내신 아버지가 계신 곳 저 본향을 향하여가리라. 내가 어릴 때는 화장실이 없었다. 작은 나뭇가지를 둘러쳐서 울타리를 치고, 밑에는 작은 단지를 묻어서 화장실로 사용했다. 비가 내릴 때는 비를 맞고 용변을 보고, 추운 겨울에는 변이 차서 솟아올라서 엉덩이를 들고 변을 보기도 했다. 고무신도 흔하지 않아서 어른 신발을 덜덜 끌고 다니며, 나중에는 양말이 없어서 어머니가 만드신 버선을 신고 다니며, 먹을 것이 부족하여 밥을 굶을 때가 일상이었다. 항상 기워진 옷을 입고, 다른 집에서 버리는 옷을 얻어서 입고, 큰 옷은 소매를 걷어서 입었고, 비누는 없어서 손등이 갈라지고, 피가 났다. 겨우내 감기를 달고 자랐다.

어렵던 시절이 언제 지나가고 새마을 운동을 시작하며 국민 모두가 잘 살아보자고 외치며 살아온 것이, 지금은 세계에서도 우리나라가 잘사는 나라가 되었다. 고기와 흰쌀밥도 마음껏 그리고 배불리 먹을 수 있으니 얼마나 감사한지 모른다.

하루하루가 힘들고 해도, 우리는 그 옛날 보릿고개를 잊고 산다. 모든 것이 감사분이다. 얼마든지 공부할 수 있고, 얼마든지 노력하면 뜻을 이룰 수 있으니, 참 좋은 세상이다. 나는 기쁘고, 감사하고 또 행복하다. 원망하지 말고 노력하라. 그리고 기다리라. 그 후에는 하나님께서 복 주시리로다.

오늘을 이유 없이 무조건 감사하라 그 옛날 어렵던 시절에 얼마나 큰 고통 속에서 지금의 부를 누리고 살아가니, 영혼이 잘되고, 육신이 잘 되고, 온 가족이 복을 누리는 축복이 우리 가정에 그리고 이 책을 읽는 여러분도 참행복을 누리시길 소망해본다.

이 책 속에 있는 글들은 비록 딱딱하고 재미는 없을지라도, 우리 삶과 여러분의 삶이 별반 다르지 않다. 짧은 지식이지만, 일평생 나의 가시밭길 뒤에 핀 기쁨이기에, 나는 겨울을 이겨내고 핀 아름다운 꽃과 같은 존재가 되었다.

모든 것이 뿌리가 있어야 자랄 수 있고, 뿌리가 있어야 꽃을 피운다. 비바람에 흔들릴 때도 있었지만, 나의 일평생 살아온 길이 뒤돌아보니 하나님의 은혜요, 하나님의 사랑이 늘 나와 동행하였음을 나는 알고 감사하다. 이 글을 통하여 함께 용기와 감사가 묻어나기를 바라본다. 두서없는 글이지만, 나의 글 속의, 나의 마음도 함께 실어가시길 염원한다.

나의 글이 책이 되기까지 성문 학교 한윤서 교장 선생님 그리고 편집해 준 황준연 그리고 책을 쓸 수 있다고 용기를 실어준 나의 사랑하는 아내, 나를 믿고 따라준 나의 두 아들과 두 며느리 박진영, 옥영애에게 고마움을 전하고 싶다.

주변의 많은 도움으로 이 책이 만들어졌다. 이 책을 통하여 위로와 큰 용기 그리고 희망이 되길 소망한다.

내가 걸어온 길

내가 걸어온 발자취는 고난의 길이었고, 내가 걸어온 길은 가시밭길이었고, 내가 가는 길은 철없이 걸어온 길, 눈물로 걸어온 길, 마음 졸이며 걸어왔으며, 앞이 보이지 않아 캄캄한 밤길도 걸어왔다. 손발이 동상이 걸리고, 춥고, 굶주리며, 비바람도 맞았다.

가시밭길을 갈 때는 온몸이 찢기고, 자갈길을 갈 때는 발에 물집도 생기고, 비바람을 맞고 갈 때는 감기·몸살도 앓았다. 배가 고플 때는 친구 집에 인사 핑계 대고 아침을 얻어먹었으며, 명절에는 세배 차 눈 쌓인 길을 걸어서 세배드리고 떡과 밥을 얻어서 동생들과 가족이 나누어 먹을 때도 부지기수였다.

눈보라 치는 시골 기차역은 따뜻했고, 새벽에 배달하는 신문은 몸에 버겁도록 양쪽 어깨에 메고 배달했다. 때로는 따뜻한 분들이 가끔씩은 맛있는 음료수도 주셔서 받아오곤 했다.

지난 세월 지금 돌이켜보면 단련한 후에 쓰신다는 성경 말씀처럼 나는 굳세게 단련이 되었고, 지금은 평안과 행복을 누리고 있다.

가시에 찔리고, 발이 부르트고, 손이 동상에 걸려서, 손과 발에 말갛게 물집이 생기면 바늘로 찌른 후에 물집을 짜내고 성냥 2개를 대고 불을 붙여서 손이 낫기도 수십 번이다.

　무거운 석탄 돌짐을 자루에 한가득 담아서 산길로 지고 다니면서 석탄을 모아 팔아서 식량을 사기도 했다. 등은 석탄에 배겨서 벗겨지기 일쑤였지만 파스 한 장 살 돈이 없었다. 그 어렵고 힘든 삶을 가지고 살았기에 동생들을 고아원에 보내지 않고 살았다.

　밤이면 호롱불에 이를 잡고, 겨울이면 문틈 사이로 바람이 한없이 들어오고, 여름비 오는 날에는 방에 비가 새 들어온다. 방 한 칸에 여섯 식구가 잔다. 누울 곳이 없어서 어머니는 좁은 부엌에서 주무시고, 일찍 새벽 기도를 다녀오시는 것이 일과다. 날마다 눈물로 하나님 아버지께 아뢰게 되었으며, 눈치 없는 아버지는 생활력이 조금도 없다. 아들딸이 어린데 늦게 낳기만 했고 책임감은 없다.

　그저 당신이 입에 막걸리 한 병 아니 한 주전자가 최고란다. 그때 나는 아버지와 참 많이도 싸우고 다투고 울기도 했다. 정말 고달픈 삶이요, 절망이었다, 앞날이 어둡고 캄캄한 밤을 헤매면서 40~50년간 말 그대로 뼈 빠지게 살았다.

눈물 나는 어린 시절

아버지는 늘 막노동 일을 하셨지만 집안은 쑥대밭이고, 어머니는 늘 길거리를 헤매거나, 대구에 갔다 왔다 하며, 막내를 업고 같이 배를 주렸다. 나는 나대로 배를 못 채우고, 집에 있는 동생들은 덩달아 먹을 것이 없어서 배를 채우지 못했다. 나는 그런 동생을 학교로 데려가 공부를 하니 친구들의 놀림감이 되었고, 왕따가 되었다. 늘 기를 펴지 못하고. 친구들의 눈치만 봤다. 겨우 6학년 1학기를 마치고 중퇴했다.

여동생은 병원 생활 3년 반, 누나는 식모살이 3년, 어머니는 가난한 살림에 살았다. 아버지는 늘 술에 취해 있었다. 정말이지 죽고 싶을 때가 하루 이틀이 아니었다. 그래도 어머니는 신앙으로 자식들을 안고 사셨고, 다행히도 고아원에는 한 명도 보내지 않았다.

비록 없이 고생하고 살았지만, 어머니의 사랑과 보살핌으로 여동생은 완치했고, 늦은 나이에 초등학교를 입학했다. 나는 나무도 지게로 해서 팔고, 아이스께끼 통도 메고, 땀을 흘리면서 팔고 광업소 폐석에 섞인 석탄도 주워서 팔고, 아침에 신문도 돌렸다. 정말이지 죽도록 어린 나이에 일을 했다. 지금 돌아보면 눈에 눈물이 고이도록 살았다. 오늘은 더 이상 눈물이 앞서 글을 더 쓸 수가 없다.

나는 어머니의 보물

밤사이 맺혀진 이슬이 수정처럼 영롱하게 보여 참 깨끗하고 아름답게 느껴진다. 나는 오늘 참 깨끗하게 살고는 있을까?

지금부터 100년 전에 나의 할아버지께서는 서당의 학자이셨다고, 자라오면서 어머니에게서 옛날이야기처럼 듣고 자랐다. 우리 아버지, 그러니까 나의 아버지는 할아버지처럼 학자는 아니다. 그저 남의 논을 빌려서 소작 벼농사를 지으시며 생계를 이어가며 살고 계셨다.

아버지는 마흔에 귀한 외동아들로 태어나 가문에 대를 이었고, 16세에 우리 어머니를 만나서 우리 6남매를 낳고 키우셨다. 할아버지께서는 자식을 위해서 공부를 시키시려고 많은 노력과 헌신을 하셨으나 아버지는 공부에 대한 소중함을 깨닫지 못해 평생을 지게와 낫을 가지고 풀 베는 일과 나무하는 일과 소를 기르는 일을 하시면서 지질하게도 가난을 벗어나지 못했다.

평생 좋은 옷 한번, 좋은 음식 한번, 좋은 신발 한번, 갖추지 못하고 사셨다. 아버지는 고집이 세고, 무엇이든 타협과 의논을 모르고, 사랑하는 우리 어머니를 눈물로 살게 하셨다.

　나는 이런 아버지의 아들로 위로는 누님 2명이 태어나고, 내가 3번째 아들로, 아버지가 마흔 때, 가문의 첫 손자로 빛을 보게 되었다.

　내 밑으로 여동생과 남동생 두 명이 더 태어나서, 가난한 집에 자식이 많아 배고픔은 물론이요, 더 어렵게 살았다. 내가 태어나서 할아버지 연세가 85세에 첫 손주를 보았을 때 날마다 기쁨이 되었다고 한다. 그러나 그해 할아버지는 손주의 이름만 지어 주시고 첫돌을 보지 못하시고 세상을 버리고 저 먼 길, 하늘나라로 가셨다.

　귀하게 여기시던 할아버지께서 가시고, 가세는 더 기울고, 자식들을 늦게 두신 나의 아버지는 죽을힘을 다해 자식들을 키우셨다. 그러나 정작 우리 아버지는 본인 생각대로 하셨고 우리 어머니의 의견을 조금도 듣지 않으시며 날마다 어머니의 밥상을 들마루로, 마당으로, 부엌으로 내던지시고, 우리들은 하루도 편안한 날이 없었다.

　내가 처음 태어나서 첫 기억은 어머니의 등에 업혀서 교회 다녀오는 것이었는데, 아마도 5살 정도가 아닌가 싶다. 여동생은 큰누나가 업고, 아마도 모녀간에 교회를 십리 길이나 다니면서, 나를 등에 업고 잠시 서남당 밑에서 쉬던 기억이, 내 생애 처음 엄마인 줄 알았던 것 같다. 아버지의 존재는 그 이후였던 것 같다.

　또 다른 기억은 6살 정도 되었을 때 마당에 같이 놀아주던 암탉과 수탉 약 10여 마리 정도가 있었고, 비 오는 날이면 마당의 하수구를 통하여 논에서 미꾸라지와 다른 물고기들이 함께 들어와 만지며 놀고 닭들도 미꾸라지를 쪼아먹으며 뛰어놀았다.

나의 생일이 다가오면 없는 쌀을 빌리고, 수수 아껴두었던 것을 모아 어머니는 생일 떡을 해주셨다. 나는 그저 먹고 맛있는 것만 기억이 날 뿐, 어머니의 정성은 모르고 자라고 있었다.

어느 날인가, 지게를 지고 엿장수가 가위질을 하면 나는 아버지의 고무신을 가지고 엿과 바꾸어 먹었다. 잠시 뒤 아버지의 불호령이 떨어지고 많이 울었던 기억이 난다. 그리고 며칠이 지났을까? 뒷집에 살고 계시는 할아버지, 할머니 내외가 살고 계셨는데, 두 분이 싸우시고 야단이 났다. 무섭기도 하고, 궁금하기도 하고, 구경도 하고 싶었다. 우리 집 뒤뜰 나무로 엮은 담장 밑에 쪼그리고 앉아서 싸움이 조용해질 때까지 구경하고 나서, 할아버지가 사랑방에 들어가시고 할머니는 부엌으로 가셨다. 어린 마음에 무섭기도 했지만, 나는 잠시 뒤에 살금살금 돌아가서 할아버지 집 마당에 버려진 담뱃대를 주워서 도망쳤다. 그 담뱃대는 할아버지께서 화가 나서 할머니 머리를 때렸고, 담뱃대가 부러지니 화가 나신 할아버지가 버린 것이다. 잠시 휴전이 되었을 때 주워 온 것이다.

두 분의 싸움은 나에게 큰 구경거리였고, 또 부러진 담뱃대는 놋으로 된 것이라, 엿장수가 오면 제일 먼저 뛰어가 엿과 바꾸어 먹었다.

또한 우리 어머니와 뒷집할머니가 머리를 빗으면 빠지는 머리카락을 모아서 돌담 사이 넣어두었다. 나는 어머니 것과 할머니 것을 가지고 옆집에 사는 조카와 함께 엿을 사 먹었다.

철없던 나는 엿이 간식거리요, 행복이었으나, 귀하고 귀한 머리카락은 간 곳이 없다. 우리 어머니 머리카락을 모아 두었다가, 그릇 장수가 오면 그릇과 바꾸려고 열심히 모아 두셨다. 그런 어머니의 큰 뜻도 모르고 철없이 자랐으니 어찌 부모님의 마음을 알았으리요?

지금 부모님이 우리 곁을 떠나시고, 이제 내가 부모가 되고 할아버지가 되어, 조금은 부모님의 마음이 이해가 된다. 감사하기도 하지만 죄송하고 불효한 자식이 되어버렸네.

뒤뜰에 심어진 어린 감나무가 있었다. 아마도 약 3미터 정도 되는 감나무로 기억이 되는데, 그 감나무의 홍시를 따려고 올라갔다가 나뭇가지가 부러지고 나는 떨어졌다.

아버지가 들에서 일하시고 돌아와서, 나무가 부러진 것을 보시고 불쏘시개를 가지고 나의 종아리를 때리셨다. 초등학교 가기 전의 일이니까, 맞고 울었던 기억이 생생하다. 그렇게 야단맞고 슬퍼 울 때도 있었다.

없는 살림에 우리 가족은 늘 배가 고팠다. 아버지께서는 남의 집에 품팔이라도 가시면 늘 나를 데리고 그 집의 저녁상에 아버지와 함께 먹었던 기억이 난다. 아버지는 사랑한다고 한 번도 말씀하시지 않았지만, 아들인 나를 데리고 늘 맛있는 저녁상을 먹이고 싶었던 것이다. 내가 아무것도 모르고, 가난한 집안이라는 것도 모르고, 그저 우리 부모님의 눈물과 사랑을 먹고 자란 것이다.

하루는 어머니께서 작은 솥에 옥수수를 찌고 계셨다. 잠시 자리를 비운 사이, 나는 옥수수가 먹고 싶었다. 뜨거운 솥에 찌고 있는 옥수수를 맨손으로 집어 들었다. 결국 손에 화상만 입고, 옥수수는 먹어보지도 못했다. 큰 누나가 나를 데리고 앞 작은 개울로 데려가 찬물에 손을 담그게 해주어서 다행히 손은 크게 상하지 않았다.

누나는 둘도 없는 남동생이라 더욱 나를 귀여워해 주었다. 이렇게 어머니의 사랑, 큰누나의 사랑, 돌아가신 할아버지의 사랑으로 자랐다.

5살까지 푸른 설사를 자주 하며, 몸이 약하고 건강하지 못해서, 더욱 어머니의 애간장을 많이 녹이셨다고 한다. 그때는 약이 없고, 병원도 없어서, 어머니는 머위 뿌리를 캐서, 씻어서 돌 위에 놓고, 작은 돌로 두들겨서 찧어진 것을, 삼베로 된 보자기에 싸서, 사극 한약 짜는 것과 같이 짜서 나에게 열심히도 먹이셨다고 한다.

봄에는 새싹과 뿌리 통째로 사용하고, 여름에는 뿌리로만 하고, 가을에는 잎도 사용했으며, 겨울에는 양지 경사지 곳에 가서, 언 땅속에 있는 것을 켜셨다고 한다. 손이 불어 터지도록 애를 쓰셨다고 하는 말씀을 많이도 듣고 자랐다.

쥐면 터질까, 바람 불면 날아갈까, 눈을 감으면 누가 데려갈까, 밖에 나가면 넘어질까, 추우면 감기 들까, 어머니는 노심초사 걱정하셨다. 아버지는 능력이 없어 집에서 먹고 살 식량도 제대로 챙기시지 못했다. 그래서 어머니는 산으로 들로 나물 뜯고 다니시며, 그때그때 자라난 새싹을 채취해서 죽을 써서 우리 가족은 입에 풀칠을 했다.

얼마나 삶이 고단했을까? 낮에는 삼베옷을 입고, 냇가에서 비누가 없던 시절 양잿물 개떡 비누 가지고 옷을 빨아서, 무거운 것은 그곳에 널어놓고, 가벼운 것은 머리에 이고 집 마당에 줄이 처진 곳에 옷을 말렸다. 비록 좋은 옷 한번 입어보지 못해도 어머니는 깨끗하게 입혀주시고, 밤이면 호롱불 밑에서 해어진 옷들을 꿰매고 주무셨다.

그 시절 아들을 얻기 위해서 얼마나 애쓰고, 얼마나 마음고생하셨을까? 그렇게 해서 겨우 얻은 나였다고 한다. 그러니 얼마나 나를 보물처럼 또 금쪽처럼 챙겨주시고 업고 다녔을까?

나는 몸이 약해서 잘 나오지 않는 젖도 동생이 태어날 때까지 먹이셨다고 한다. 지금 생각해보면 아무것도 아닌 나를 그렇게 키우셨건만 나는 부모님 마음 한번, 옷 한 벌 사드린 기억이 없다. 돌이켜 보면 참 불효한 자식이 되고 말았다.

내가 태어난 곳은 문경면 남포리 182번지. 물 맑고 공기 좋고 돌이 많으며 앞산에 나무가 많고 뒷산은 큰 암벽 사이다 지금은 서울에서부터 전국 각지에서 등산 및 산세 구경을 많이 오는 유명한 곳이다. 이러한 곳에서 넘어지면 무릎이 까지고, 해가 지면 암흑 강산이 되고, 해가 뜨면 앞개울에는 아이들이 민물 가재, 피리, 텅 러시를 잡고 골뱅이도 줍고, 여름이면 너 나 할 것 없이 모두 작은 냇가에서 벌거벗은 채로 미역을 감고 놀았다. 어머니가 부르면 감자로 점심을 먹고 어디선가 상이용사(군에서 복무하다가 부상을 입고 제대한 병사)들이 마을을 다니면서 구걸이라도 오면, 우리들은 무서워서 재래식 화장실에 숨기도 했다.

어릴 때 벌거벗고 같이 목욕하던 남자친구, 여자친구들은 어디서, 어떻게 살고 있는지, 궁금도 하고 아련한 추억에 웃음도 난다. 보고 싶다.

어릴 때 초등학교는 집에서 약 3킬로미터 정도 거리였다. 작은 누나와 함께 1학년을 다니고, 2~3학년은 혼자 다녔다. 학교에 갔다가 오는 길에는 유독 나는 여자 친구들과 같이 다녔다. 오는 길에 논둑에 있는 풀을 뜯어서 나누어 씹어보기도 하고, 쑥을 책보자기에 싸서 집에 가져오기도 했다. 가을이면 메뚜기도 뒷병에 잡으러 다녔다. 추석이 되면 마을 동고사 지내는 곳에 청년들이 멍석을 깔고 신파라는 연극도 해주어, 구경도 했던 기억도 있다.

지금은 그곳에 둘레 약 5미터 정도 되는 느티나무가 참 많이도 서있다. 이 느티나무는 할아버지가 어린 시절부터, 아버지의 어린 시절 또 내가 어린 시절을 다 보냈을 것이다.

하늘 아래 첫 동네이고, 세상 물정도 모르고 이곳에서 9살 되는 해, 아버지는 같은 문경군 안에 있는 가은읍 작천리 길가 외딴 집으로 방 1칸 얻어 이사를 하고, 나는 전학하고, 이렇게 새로운 곳에서 삶을 시작했다. 이사라곤 달랑 이불 1채, 솥 1개, 그릇 조금이 다였다. 이것을 버스에 싣고 굽이굽이 돌아오는데 바로 옆으로 까만 열차가 가는 것을 나는 처음 봤다. 그리고 이사를 온 후에 처음 시계를 봤다.

태어나서 처음 기차를 알았고, 가은이란 곳은 석탄 광산이 있어서 마을이며, 길이며, 온통 연탄 가루뿐이었다. 석탄이 무엇인지 그때 배우고 자라면서, 광산 구경, 극장에서 영화 구경도 했다.

라디오도 없던 시절, 주인집 라디오에서 김삿갓 방랑기를 듣고 저녁이면 연속극도 들을 수 있었다. 학교에 가면 친구들은 나를 거지 취급했고, 어린 남동생은 머리에 온갖 종기와 부스럼 딱지, 된장과 보리밥을 섞은 것을 종기에 붙이고, 때가 꼬질한 옷과 냄새나는 동생을 옆에 앉혀두고 공부했다.

아마도 친구들 대부분은 부친께서 광부로 일해서 부유하게 자랄 수 있었다을 것이다. 불행하게도 나는 여동생이 다리 관절염이 있었기에, 어머니는 갓 태어난 막내를 등에 업고 대구 동산 병원에 자주 가셨다.

설상가상으로 막내는 배 안에서, 어머니의 영양실조로 반숙으로, 태어나서 젖도 부족하고, 우윳값도 없고, 심지어 열차 교통비도 없어, 어머니는 무임승차도 수없이 했다. 이런 가운데 나는 남동생을 돌보아야 했고, 학교에 가면 친구들의 눈치꾸러기 또는 천박한 거지로 따돌림을 받았다.

지금은 흘러간 고생담이 되었지만, 그때는 정말로 학교 가기가 싫었다.

기성회비 가져오라는 선생님의 잔소리를 듣기도 싫었다. 기성회비를 가져오라고 집으로 쫓겨나기도 수없이 했다, 종아리 매도 수없이 맞다 보니, 나는 기가 죽어서 공부도 꼴찌 수준이었고, 공부의 재미도 없었다. 그렇게 가는 세월 속에 6학년 2학기 졸업사진을 찍고, 졸업식에 가지도 못했고 그래서 앨범도 없다. 학교를 그만두고, 새벽에는 신문배달, 아침 먹고 광산에 버려진 석탄을 주웠고, 1년 정도 지나면서 시멘트 공장, 겨울에는 자전거 방 기술, 봄이면 기와 공장, 겨울이면 하층 탄광 전전하며 성장기를 보냈다.

어린 가장

　우리 엄마는 한평생 남편 잘못 만나서 돌아가시는 날까지 눈물이 마를 날이 없었으며, 배고픔이 뼈에 사무치도록 굶고 사셨다.

　내가 11살 되던 해 막내 남동생이 태어나고, 동생은 어머니의 굶주림으로 인하여 반숙으로 태어났다. 설상가상으로 나의 바로 밑에 여동생이 무릎 관절염으로 까무러치기를 여러 번 반복했다. 엄마는 그때부터 말로 할 수 없는 고난의 삶을 사셨다.

　엄마는 여동생 치료비 걱정, 막냇동생 줄 젖이 없어 동냥젖을 구하며 구걸하는 삶이 되었다. 시골 의원에 두세 번 다녔으나 여동생은 차도가 없고, 집에는 먹을 것도 없다. 궁리 끝에 아버지는 문경 산골에서 가은읍 일가 아저씨 집 짓는 곳에 일을 하려고 이사를 준비했다.

　이사를 간 곳은 작천리 외딴집 방 한 칸 부엌도 없는 곳이다. 이사를 마치니 갑자기 아버지마저 누워버렸다. 일주일 간호 끝에 일어나서, 아버지는 고단하게 일하시고, 품삯은 겨우겨우 보리쌀 한 말이 전 재산이다. 이렇게 겨우 연명하면서 여동생은 목사님 소개로 대구 동산병원에 무료로 치료하게 되었고, 어머니는 그때부터 막내를 업고 대구를 왔다 갔다하면서, 동생 돌보랴, 집에 와서는 우리를 돌보랴, 이만저만 고생이 말로 표현할 수가 없다.

여동생 밑에 남동생은 영양실조로 머리에 종기가 더덕더덕 나고, 옆집에서 보리밥을 얻어서 된장과 섞어서 머리에 붙이고 삼베촌으로 머리를 묶고, 나는 동생을 데리고 학교 가니 친구들은 추접다고, 더럽다고 왕따한다.

나는 눈치를 보게 되고, 어머니는 무임으로 열차를 숨어서 타고 다니셨고, 아버지는 고된 노동에 저녁이면 술이 취하여 집에 오신다.

여름에는 학교 마치면 아이스께끼 통을 빌려서 어깨에 메고, 이 마을, 저 마을 다니면서 아이스케이크 소리 지르며 팔고, 친구들을 만나면 놀림감이 되었다. 나는 그때부터 가장이 되었다.

어머니는 배고픔과 집 걱정에 자식들 걱정으로 눈물로 오가며 견디셨다. 집에 오시면 어머니는 교회로 달려가서 눈물로 밤새우기도 하시고, 날이 새면 대구로 여동생에게 갔다, 그야말로 우리 집은 이산가족 풍전등화와 같다.

교인들은 우리가 불쌍하다고, 헌 옷이며 빵이며, 노트며, 헌 신발이며, 자주 우리를 위해서 나누어주셨다. 어머니도 거지요, 아버지도 거지요, 나도 동생도 모두 거지로 살았다.

아이스께끼를 팔아서 십 원을 벌어 국수 두 뭉텅이를 사면 남는 게 없다. 작은누나는 남의 집에 식모로 가서 가끔씩만 누나의 얼굴을 볼 수가 있었다. 그렇게 살면서 3년이 지나고 나는 초등학교 6학년 후반에 중퇴했다.

  신문 배달 마치고 벽돌 공장으로 다녀서 하루에 100원씩 벌었고, 코피가 나도록 죽을힘을 다해 살아가야 했다. 추운 겨울에는 동상이 걸리고, 손은 시멘트 양잿물에 불어 터져 트기 일쑤이고, 얼굴도 터지고, 손을 호호 녹여가며, 배달 일, 벽돌 공장을 거치니, 조금씩 배고픔은 차츰차츰 줄어갔다.

  신문 배달이 늦어지면 야단맞기 일쑤이고, 때로는 아파도 말없이 배달과 벽돌 공장을 거쳐서 기와 공장 일까지 했다. 여름에는 기와 기술을 익히고 겨울에는 광업소에 가서 일을 했다. 몸으로 부딪쳐서 먹고 살아가면서 죽기 살기로 일하니, 공장에서 신임을 얻고, 가불하기도 하며 살았다.

  어린 나이에 가장이 되어, 부모님과 동생 3명을 책임지고 살자니 날마다 코피가 나고, 허리는 아프고, 그러면서 광업소 버려진 석탄을 줍기도 하고, 폐목을 주워다가 땔감도 하고, 석탄을 주워서 등에 지고, 이 산으로, 저 산으로 경비원을 피해서 지고 다녔다.

  석탄을 모아서 가마니로 팔면 150원을 받는다. 한 달 모으면 1500원이다. 보리쌀을 사고, 동생들 학교 지출금을 마련하여 학교로 보냈다. 2년이 지나니, 나도 기와 공장 기술자가 되어서 하루에 150원씩 벌 수 있고, 누나도 광업소 교환으로 취직이 되었다. 둘이 벌어가니, 작은 집을 사고, 리어카를 살 수 있었다. 냇가로 가서 모래 자갈을 옮기고, 벽돌을 찍어서 집 수리를 하면서 배웠다. 겨울에는 자전거 가게 기술을 배우고, 산소 절단도 배우고, 광업소에서 일하면서 전기 용접 기술도 익혀갔다.

신문 배달을 하다

　내가 14살 때에 조선일보에서 신문 배달을 시작했다. 매일 새벽 5시부터 오전 9시까지 신문을 배달했다. 신문을 배달하기 위해서는 호수를 정확히 배우고, 비가 오는 날에는 비닐을 쓰기도 하고, 눈이 올 때는 넘어지기도 하고, 추운 겨울에는 발이 동상이 걸리고, 얼굴이 터지고, 손은 장갑도 없이 호호 불며 배달했다. 1년 2개월 조선일보를 배달하고 친구에게 넘겨주었다.

　좀 더 급여가 높은 한국일보 배달을 하게 되어 더 많은 양을 배달하게 되었다. 신문 양이 2배가 넘었다. 양어깨에 새끼줄로 묶어서 메고, 양손에는 주간 잡지를 안고 오전 내내 돌렸다.

　특히 광산 지역에는 배달이 늦어지면 야단맞기 일쑤이고, 걸어서 다니다 보면 언덕 산기슭에도 배달해야 했다. 때로는 몸이 아파도 가야 하고, 하기 싫어도 해야 한다. 배달을 게을리할 수가 없다. 고생이 이만저만이 아니다. 어린 나이에 사회 첫 경험이고 애로점도 많았다. 배달이 끝나면 산에 나무하러 가고, 폐석장에 가면 석탄과 나무토막이 섞여서 버려진다. 석탄도 줍고, 나무도 주워서, 지게에 지고 능선을 따라 집에 오면 보통 2시간이 걸린다.

얼굴은 검은 땀이요, 등은 벗겨져서 까지고, 손은 상처가 난다. 다시 조금 있다가 석탄을 주워서, 밤이 되도록 지고 다녔다. 이렇게 모은 석탄은 1가마에 150원에 팔아 식량을 사고, 나무는 땔감으로 쓰며 그렇게 7식구가 살아간다.

신문 배달 3년을 하고 벽돌 공장에서 일을 시작하니 몸은 힘들어도 돈은 조금 더 벌어서 좋았다. 손은 시멘트 물에 불어서 피가 나고, 손가락에 구멍이 나고 쓰리고 아프기 일쑤다.

16살 때부터 시작된 광부생활

16세에 광업소 하층에서 바깥 광부를 시작했다. 탄광 생활은 그곳에 유일한 직장이며 터전이다. 하루에 8시간씩 근무를 3교대하며 광산 일을 하게 되었다.

나와 같은 처지에 친구들도 함께 일을 했으며, 분진을 들여 마시지 않으려고 방진 마스크를 쓰고 일했다. 퇴근 시간이 되면 온몸이 석탄 가루가 가득했다. 목욕탕에 가서 씻으면 피부가 까지도록 씻었다.

남들은 5분이면 목욕을 마치고 자전거를 타고 퇴근하는데 나는 요령을 몰라서 30분 정도 목욕을 해도 귀, 코, 목 등 모든 곳에 모든 탄가루가 묻어 있었다. 나중에 알았는데 대충 씻고 집에 가서 콜드크림을 발라서 부드러운 수건으로 닦으면 피부도 상하지 않고 깨끗해진다.

그렇게 바깥에서 얼마 동안 하다가 갱 속에 들어가게 되었다. 밖에서보다 보수가 많다. 갱 속에서 일을 하면서 광부의 길을 가게 되었다.

땅속 깊은 갱 속은 어둡고 습한 냄새가 나며 또한 50m당 온도가 1도씩 높아진다. 심부의 약 3km 정도 안에서 작업을 했다. 지열이 높은 곳은 40도 정도, 공기 순환이 잘 되는 곳은 30도 정도이며, 갱 속 안은 들어가는 곳은 한 곳이지만 안에 들어가면 개미집과 같다.

이렇게 내려가면 그 당시에는 하층에서 일을 하다가 농번기가 되면 광업소 일을 그만두고 매일 경운기를 몰고 봄에서 가을까지 하고 다시 겨울이면 다시 광부로 일을 했다.

78년 대성 탄좌에서 일을 하게 되었고 그때 아내를 알게 되었다. 79년 5월 8일 결혼도 하고, 신혼은 대성 사택에서 1년 정도 살다가 80년 3월경 은성광업소 탄광으로 다시 자리를 옮기고 집으로 들어와 83년 6월 30일까지 근무를 했다. 갱구는 늘 변화하는 곳이며 사계절처럼 땅속도 늘 위험이 도사리고 있다.

나는 석탄 광업소 부근 마을에서 자라고 살았다. 자연스럽게 석탄을 배웠다. 10대 후반부터 광부 일을 하면서 살아갔다. 처음에는 나이도 어리고 하여 받아주는 곳이 없어서, 광산 하층으로 일을 시작했다. 몇 년이 지나서 정식 광부가 되었다.

하루 일과를 마치고 나오면 검둥이가 따로 없다. 온몸 전체가 검은 연탄이다. 말 그대로 광부는 검은 사람이며, 지하 수천 미터 땅속에서 일을 한다. 땅속에 지열은 보통 30~38도다. 광산 굴속에는 지열이 심하고, 땀을 비 오듯이 흘리며, 석탄 분진과 화약 연기로 앞이 잘 보이지 않을 때가 많다. 직업병 예방으로 방진 마스크를 차고 갱 속에서 일을 하니 산소 부족으로 더욱 숨이 차고 땀을 많이 흘린다. 작업복은 항상 땀에 절어 있고 한겨울에도 몸에 땀띠를 달고 지낸다. 일 년 내내 감기로 고생하는 사람도 많이 있다. 갱 속에는 산소가 부족하니 작업하면 모두가 숨이 가쁘다. 그래서 방진 마스크를 벗고 일할 때가 많다.

이렇게 어려운 환경에서 캐낸 것이 연탄이고, 우리가 사용하는 19공 연탄이다. 석탄은 제철 공장으로 보내지고, 여러 가지 용광로에 사용하며 우리나라 근대 발전의 밑거름이 되기도 했다. 때로는 열악한 작업장에 늘 뜻하지 않은 사고로 많은 생명들이 사라지기도 한다. 탄광은 갑종 탄광, 을종 탄광, 두 종류의 광산이 있다. 갑종 탄광은 갱내에 메탄가스가 발생하여 불을 전혀 사용할 수가 없고 을종 탄광은 가스가 발생하지 않는다. 그리하여 영화에서 볼 수 있는 것처럼 도화선 발파를 하고 작업하며, 공기 질도 갑종 탄광보다 좋다.

탄광도 여러 가지 분야가 있다 석탄 생산 광부가 있고 그 외 사무실, 공무과 경비실, 자제와 등등이 있다. 하루 근무 시간은 8시간이고, 갱내 생산부는 약 10명이 8시간에 120~150톤을 생산한다. 광부들의 급여는 위험수당이 높아서 다른 곳보다 조금은 많다.

이렇게 하여 산이 푸르게 되고, 산업이 발달하고, 경기가 나아지고, 살림살이도 나아졌다. 집집마다 연탄이 쌓여있고, 안방에는 쌀가마니가 쌓여있고, 겨울을 근심 없이 지내기도 하였다.

연탄이 귀하게 대접 받든 시절도 있었고. 나라에 크게 이바지하기도 했다. 지금도 작은 구멍가게나 막창집에 가면 그 옛날 나의 모습을 회상하게 한다.

막장 광부

　지하 수천 미터에서 광부들이 캔 석탄을 운반하여 전차를 통해 저장고에 석탄이 모아진다. 그 후 컨베이어로 실려가서 석탄 가루와 덩어리를 선별하고 폐석은 다시 산으로 운반되어서 버려진다. 퇴근할 때에는 집에 땔석탄을 조금 가져다가 연료로 쓰기도 한다.

　추운 겨울에는 산골짜기 탄광 계곡은 탄가루가 검게 날리기도 하고 집집마다 빨래에 검은 탄가루가 묻기도 한다. 야밤에 겨울바람을 맞으며 현장으로 출근하려면 서글프기가 한없고 출근하기 싫어서 일을 가지 않을 때도 있다. 출근길에 아낙네가 길을 건너가면은 그날 재수 없다고 다들 출근하다가 집으로 돌아오는 경우도 있다.

　아내는 가기 싫으면 가지 말라고 한다. 왜냐하면 광부들은 꿈이 불길하다든지, 일을 가기 싫은 날에는 사고로 숨질까 봐서 출근을 동요하지 않기 때문이다.

　하루에 갑, 을, 병 3교대로 일하고 갱 속에서 8시간 일한다. 이렇게 일을 하여도 생계는 늘 힘들다.

나는 어린 나이에 손끝은 매일 피가 나도록 일하고 물, 불 안 가리다 보니 허리도 아프기 일쑤이고 폐도 안 좋아서 숨 쉬는 것도 가쁘다. 또한 신장이 약하여 몸이 자주 붓기도 했다.

대성 탄좌로, 은성 광업소로 지하 광부로 다니며 때로는 겨울 아침에 눈이 30센티 정도 쌓인 비포장도로를 출퇴근하며 살았다. 이렇게 광부로 일하면서 아내를 중매로 만나 지금까지 갖은 고생을 다했고, 무릎 통증이 심하여 광부도 그만두게 되었다. 광부를 그만두고 나니 온 가족이 살 수 없다고 초상집이 되었다.

"다른 집 아들은 광부를 돈이라도 주고 못 들어가서 난리인데 너는 배가 불러서 직장을 그만두었다."

아버지가 역정을 내셔서 집안이 시끄럽기까지 하였다.

광산 갱구로부터 수십 킬로 깊이 들어가서 일하며 석탄 먼지가 앞을 가려서 보이지 않을 때도 있다. 또한 갱 속에서 화약 발파로 항상 냄새가 두통을 일으키기도 하고 산소가 부족하여 숨이 가쁠 때도 있다, 지열로 장화에 땀이 고이기도 한다.

갑종 탄광은 메탄가스가 발생하여 사고도 많이 일어난다. 겨울에도 땀띠가 나고 여름에도 면역력이 부족하여 감기를 달고 살기도 한다. 탄광은 늘 사고가 일어난다. 죽단 사고, 매몰사고, 낙탄 사고, 가스 사고, 발파 사고 종류도 다양하게 일어난다. 나와 같이 입사한 동료들도 석탄에 매몰되어서 목숨을 잃었다. 대형 사고로 44명이 숨지는 사고도 있었다.

막장이라는 말대로 탄광은 마지막 직업이다. 하늘을 두 번 덮어쓰고 일하는 작업이니 미신 아닌 미신도 많이 믿는다. 나는 손톱 하나 안 다치고 퇴직하여 지금 돌아보니 하나님이 도우심인 것 같아 감사한 것뿐이다. 지금도 어디에서는 광부로 살아가는 가정이 있으리라 생각이 들고 그만두는 그날까지 무사하기를 기원한다.

보이는 것은 검은 석탄뿐이고

1890년대 일본군이 전쟁의 연료 사용으로 우리나라에 들어와서 지하에 매장된 석탄을 발견했다. 그때부터 석탄을 캐는 광산이 생겨났다. 아마도 그 당시에는 작업 환경이 열악했으리라 짐작이 간다.

전쟁 이후 우리나라는 배고픔이 일상이었다. 땔감은 산에 나무를 베어서 그 당시에는 살이 벌거숭이였다. 잘생긴 소나무는 초가집 목재로 사용하여 집을 짓고 살았다.

일본군이 철수하고 국민들이 탄광 생활을 이어갔다. 석탄은 화력이 좋고 오래가며 또한 산에 나무를 베지 않아도 되었고, 제철공장 용광로에는 석탄을 쓰기도 하였다. 이렇게 석탄은 우리의 산업과 산을 푸르게 하는 원동력이 되었다.

10살 때에 한창 석탄 산업이 붐이 일어날 때 아무것도 모르는 어린 나이에 문경 탄광 지역으로 왔다. 광업소를 처음 보고 열차를 처음 보았다. 국민학교 4학년에 전학하고, 하교하면 얼음 공장으로 달려가서 아이스 통을 메고, 탄광 사택으로 매일 소리치며 아이스케이크를 팔아서 하루에 3원 벌 때도 있고, 10원 버는 날도 있었다. 광부로 일하는 집의 친구들은 흰쌀밥에 돼지고기를 먹고 좋은 옷을 입고 좋은 가방을 가지고 다니는데, 나는 보자기에 소리 나는 요란한 깡통 필통으로 학교에 다녔다.

이렇게 국민학교를 마치고 광산 하층에 취직하고 고생이 시작되었다. 약 한 달 정도 되었을 때 나는 전차를 타고 다니며 일을 하다가 석탄 모으는 곳에서 전차에 치였다. 두 발목이 잘려 나가는 줄 알았다. 다행히도 두 발목에 뼈가 금이 가고 광산 병원에 5개월 입원하며 지냈다. 퇴원 후에는 걸어갈 수도, 일어설 수도 없다. 사고를 당하니 가족의 생계가 말이 아니다. 그리고 1년 후에 다시 하층 지하 갱도에 일을 하게 되어서 수천 미터 갱 속에서 일을 하며 다니고 퇴근할 때는 석탄 덩어리를 자루에 담아서 등에 지고 가져다가 땔감을 이어갔다.

어린 동생도 하층에서 일을 하다가 손가락이 잘리는 사고를 당하기도 했다. 탄광촌은 다른 직장이 없다. 오직 광산분이다. 이렇게 광부 생활로 20대 중반까지 나는 광부로 살며 보이는 것은 검은 석탄분이고 보이는 것은 벌거숭이산분이다. 일곱 식구를 거느린 가장이 되어서 오직 광부가 나의 삶의 전부이다. 지금도 그때를 생각하면은 소름이 돋는다. 많은 세월이 흘러갔지만, 나의 가슴에는 검은 연탄이 마음속에 남아있다.

새마을 운동이 한창 일어나던 시절 내 나이 18세. 나는 기와 공장에서 일을 하고, 동네마다 기와 덮는 일과 슬레이트 지붕 개량을 하면서 다녔다.

20살 되던 해, 큰누나 집에서 지붕을 덮기 위하여 작업을 하는데 긴급 뉴스가 나와서 나라가 난리가 났다. 8.15해방 대통령 기자회견 도중에 북에서 지령을 받고 대통령 암살작전하러 온 문세광이 쏜 총에 육영수 여사

께서 비명을 하셨다. 온 나라 국민들은 비통함에 눈물바다가 되었다. 어린 아이에서부터 100세 노인까지 모두가 서러워하면서 안타까워했다.

대한민국 역사 이래 가장 아픈 역사이고, 슬픔이었다. 국민들은 절망하고 수개월 지나도록 슬픔을 떨치지 못하고 여름이 저물어 갔다.

내가 새마을 운동으로 이 마을, 저 마을 불려 다니면서 지붕 개량과 담장 개량을 하면서 죽도록 힘을 다하여 일을 하며, 생계를 이어갔다. 맏이로 태어나서 노년의 부모님과 어린 동생을 돌보며 가장이 되어 열심히 뒤돌아보지 않았다.

지금 생각해보면 어디서 그런 에너지가 나왔는지 참 신기할 정도다. 열 손가락이 닳아서 피가 나고, 허리가 펴지지 않도록 일을 하고, 저녁이면 세수할 힘도 없어서 작업복을 갈아입지 못하고는, 나무 떼는 부엌에서 구부려 잠을 자기도 수없이 많았다.

아침에 일어나는 것이 힘들어서 코피가 쏟아지면 찬물로 머리를 적시고, 논으로, 들로, 밭으로 일하러 다녔다.

이렇게 살다 보니 돌아볼 여유도 없고 무엇이 삶인지 모르고 죽기 살기로 일만 했다. 동네 어른들께서 나에게 많은 조언과 삶의 지혜도 들려주시곤 했다. 어린 나이에 밤낮의 지혜도 들려주시곤 했다. 어린 나이에 밤낮으로 일을 하니 온 동네 소문이 나고 마을 어르신들도 나를 인정하여 더 많은 일을 맡기기도 하셨다.

동네에게 가장 큰 집에 살다

탄광에서 다리를 다치고 퇴원을 하니 집에 가만히 있을 수가 없다.

"우물을 파서 어머니에게 도움이 되고 싶습니다."

아버지에게 뒤뜰에 우물을 파겠다고 말했다.

가족이 합심하여 겨울에 우물을 파기 시작했다. 아버지는 괭이로 땅을 파고, 나는 리어카 바퀴로 도르래를 만들고, 기둥 3개를 묶어서 우물을 판다. 땅을 파니 흙과 돌이 몇 톤씩 올라온다. 작은 양동이에 흙을 담아서 동생들과 함께 양동이로 흙을 달아 올리며 약 20일 후에 샘물을 얻었다.

한 달 후에 샘물을 먹게 되었다. 엄마는 물동이를 이고 다니지 아니하게 되었고, 동네에서 나를 독일 병장으로 별칭 하게 되었다,

이후로 나는 경운기를 중고로 사서, 남의 농사일을 하며 품삯을 받아서 가족이 살 수 있었다. 그리고 나는 기와 공장으로 자전거 점포로 다니며 기술을 배우고, 죽기 살기로 일을 하니 어르신들이 나를 신용 있게 도와주

시기도 하였다.

나는 무일푼으로 작은 집을 샀다. 냇가에 있는 모래 자갈을 모아서 집 수리를 하면 동네에서 내가 살고 있는 집을 산다. 차익을 조금 남기고 다른 집으로 이사를 여러 번 하면서, 작은 집에서 동네에서 제일 큰집으로 이사하기도 하였다.

닥치는 대로 살고, 닥치는 대로 일하고, 돈이 되면 몸도 사리지 아니하고 일했다. 어린 시절에 살아보겠다고 일을 한 덕에 배고픔은 면하고, 겨우 먹고 살아가기도 하니, 세상에 겁나는 것이 없고 많은 경험을 얻기도 하고, 지금도 모든 일에 자신이 있다.

경운기 덕분에 부자가 되다

　내가 경운기를 처음 탄 것은 20살 때다. 다리를 저는 후배가 새 경운기를 샀다. 냇가에 가서 고운 모래를 실어다가, 남의 집에 모래를 내려주고 운임을 받는다는 것을 알게 되었다.

　또 시간이 남으면 자기 집에 모래를 실어다가 집수리를 하며 돈을 번다. 가만히 보니 욕심도 생기고 그 당시에 나는 돈을 벌어야 한다는 책임감이 강했다. 그래서 경운기를 사야겠다고 마음먹었다. 그런데 수중에 돈이 없다. 경운기를 살려면 자기 논과 밭이 있어야 하는데 나는 아무것도 없었다. 경운기를 살 여유도, 자격도 없었다.

　동네 어르신에게 돈을 빌려서 문경 당포리에 가서 7년 된 중고 경운기 한 대를 55만 원 주고 샀다. 그러나 운전할 줄을 몰랐다. 전 주인이 시키는 대로 배워서 40킬로 되는 거리를 경운기로 운전하여 집으로 갔다. 그런데 운전이 미숙해서 집 마당에 들어갈 수가 없다. 어쩔 수 없이 큰길에 주차했다.

　다음 날 경운기의 시동이 안 걸린다. 수리센터에 가서 기술자가 와서 시동을 걸어주며 설명해준다. 이렇게 하루 이틀 지나니 조금씩 실력이 늘었다. 그리하여 나도 냇가로 가서 경운기에 모래를 실으러 가려고 하는데, 경운기는 제자리에서 앞바퀴가 빠지고 나올 수가 없다.

알고 보니 경운기에 후륜 기어가 없었던 것이다. 다시 경운기 수리센터에 알아보니 후륜 기어를 장착하는 비용이 38만 원이었다. 살 때도 빚을 내서 샀는데 또 돈이 들어간다니…. 어쩔 수 없이 다시 빚을 내어서 후륜 기어를 장착했다. 이제는 냇가에 빠지지 않고 모래를 실어 나를 수가 있었다.

날마다 아버지, 나, 동생들이 함께 매일 모래를 실어 날랐다. 이렇게 하니 마당에 모래가 산더미처럼 쌓였다. 봄이 되면은 벽돌을 찍어서 팔며 살림살이에 큰 보탬이 되었다.

경운기를 가지고 남의 논과 밭을 쟁기질하고 품삯을 받았다. 농가 주민들의 일손을 도와주니 가을 벼 탈곡이, 여름 모내기 로터리, 여름 보리 탈곡이며, 여러 농가의 주인들이 나에게 일감을 몰아주니 날마다 수입도 늘어갔다.

경운기 덕분에 무려 일곱 식구를 먹여 살릴 수 있었다. 20대 초반이었지만 마을에서 독일 병장이란 칭호도 얻으며 신용도 생겼다. 이 마을 저 마을에서 작업했다. 무려 1년 내내 일거리가 생겼다.

그렇게 몇 년을 하니 경운기도 새것으로 바꾸게 되었고 나는 전문적으로 남의 농사를 대신 지었다. 직장인과 비슷했다. 시간이 나면은 남의 집 수리를 하고 품삯을 받았다.

담장 쌓는 일, 미장일, 지붕 개량하는 일 등 닥치는 대로 일을 했다. 밤이면 마당에 불을 밝혀놓고 벽돌을 만들어서 팔기도 하고 아침에는 벽돌을 실어다가 주기도 하고 돼지우리를 짓는 일도 했다.

여러 가지 가리지 않고 일을 했다. 덕분에 동네에서 첫 번째로 전화기를 놓고, 텔레비전도 사고, 오토바이도 샀다. 참 부지런히도 살았다.

경운기를 가지고 배울 때는 위험하기도 했고 또 배울 때 어려움도 많았다. 덕분에 지금은 경운기 수리를 다 할 수 있는 기술까지 배웠다.

결혼하고 직장을 다니면서 경운기 일을 줄여갔다. 아직도 나는 미련을 버리지 못하여 내 나이 70을 보면서 경운기를 가지고 운전해본다. 비록 힘들었지만 나에게는 나의 청춘을 불태워서 일했던 기쁨이 남아있다.

어쩌다 중고차를 사다

운전을 한 처음 시작은 1983년 6월 말이었다, 중간 동생의 1톤 포터 용달로 잠시 연수를 했다.

그러니까 연수는 3번 정도 하고, 6개월 뒤 서울 장안평에 있는 중고차 시장에 막냇동생을 데리고 갔다. 새벽 6시에 직행버스를 타고 서울에 도착하니 오후 3시. 장안평 이곳, 저곳을 돌아다니다가 1.4톤 중고차를 280만 원에 중고차를 샀다. 서울 한강을 건너오면 성남을 거쳐 내려와야 하는데, 지리도 모르고, 운전도 어설프고, 가다 보면 조금 전에 왔던 곳에 가게 되었고 반복해서 헤맸다. 결국 경찰관에게 붙들려서 미안하다고 사실을 말하고 겨우 안내받아서 성남을 빠져 내려오니 밤 10시가 되었다.

서울에서 오후 5시에 출발했는데 성남을 빠져나오는데 8시간을 헤매고 또 헤매었다. 물어물어 경기도 이천에 도착하니 달은 중천에 떠 있고 길에는 눈이 깔려 있었다.

중고차를 볼 줄 몰랐는데, 차는 오래된 것이고, 타이어는 금방 갈아 끼워야 할 정도였다. 길은 미끄럽고 운전 경험은 없고 밤은 깊은 시간이고 겨우 이천 휴게소에 와서 보니 다른 차들이 눈길 체인을 걸고 있었다.

나는 다른 차량 기사님께 물어보니 체인을 구할 수 있다고 해서 구입했다. 무려 4만 원이라는 거금을 주고 샀다. 체인을 사기는 했는데 체인을 장착할 수가 없어서 주위에 있는 기사님의 도움으로 겨우 체인을 걸고 내려왔다.

눈길이라 조심조심 아마도 50km 정도로 왔는가 보다. 곤지암 국도 굽은 오르막길에 오고 있는데 갑자기 차가 뒤로 내려가고 있었다. 막냇동생은 뛰어내려서 뒤에서 차를 힘으로 밀어 올렸다. 차는 계속 뒤로 내려가고 차를 힘으로 밀어 올렸으나 차는 계속 뒤로 내려가고 옆으로 미끄러지면서 겨우 차가 대각선으로 정차했다.

땅은 얼고 길은 얼음판이었다. 게다가 운전 미숙으로 차가 뒤로 내려갔던 것이다. 나는 간이 콩알만 해졌다. 동생은 떨고 있었다. 둘이 맨손으로 모래를 한 움큼씩 가져다가 바퀴 밑에 부려가면서 겨우 차는 언덕길을 올라왔다.

밤새 씨름을 해가면서 문경 가은에 도착했다. 4만 원 주고 산 체인은 닳아서 떨어졌다. 집 도착시간은 다음날 오후 2시. 안도의 한숨을 쉬고 도착했다. 그 뒤로 차는 약 1달 정도 운전도 하지 못하고 길에 세워두었다. 그러다가 4개월 뒤에 180만 원으로 엄청난 손해를 보고 팔았다.

그 이후에 450만 원에 점촌 용달 넘버를 사고 영업을 시작했다. 돈을 벌겠다고 죽는지도 모르고 용감하게 전국을 다녔다. 경찰관에게 수없이 붙잡히기도 했고, 차량 관리를 할 줄 몰라서 차가 빨리 망가지고, 수리비도 참 많이도 지출했다. 지금 돌이켜보면 무식하게 다녔고 또한 경험 부족으로 죽을 고생도 많이 했다. 하지만 그런 경험이 내 삶의 발판이 되었다.

내가 교도소라니

1990년대에 용달 사업을 하다가 사업이 어려워졌다. 15톤 덤프차를 운전하기로 하고 약 10일 정도 되었을 때였다. 장모님이 갑자기 경북대학병원에 입원하셨다. 중병이라는 연락을 받고 병원에 가기 위하여 교회 차를 빌려서 일을 마치고 가은에서 대구로 가던 중이었다.

마성면 사무소 앞에서 취객이 차가 오는 것을 보지도 않고 차도로 뛰어들어와서, 피하다가 중앙선을 넘어가면서 사고가 났다.

경찰서에 신고하고 본서로 가서 조서를 꾸미고 나니 밤 11시다. 경찰서 유치장에서 밤을 새우고 곧바로 상주 구치소로 넘어가 6개월 수감되었다.

누구 하나 나서서 나를 도와주는 이가 없었다. 교도소에 들어서니 온몸을 수색한다. 이후에 한쪽 구석으로 데려가서 교도관들이 구타하기 시작했다.

구금되는 방으로 가니 범죄자들이 구경난 것처럼 바라보며 나를 괴롭힌다. 그날은 그렇게 넘어가고 그다음 날이 밝으니 나이가 어린 18세 정도 되는 애들부터 60세까지 한 방에 15명 정도 있다. 나중에 알았지만, 운전 사고로 들어오면 이방, 저방 분배하여 각방으로 배치한다. 왜냐하면 그 방에 버림받은 죄수들이 단 한 사람도 면회를 오지 않으니 그 죄수들의 식대며, 치약, 수건, 러닝셔츠 등 면회를 많이 오는 운전자들의 영치금으로 그 방 전체가 살아가고 있다.

나는 면회를 오는 사람들이 많아서 영치금이 쌓이는 줄 알았으나 그 많은 영치금은 나올 때 단 일원도 없었다.

밤에는 방장이 밤 12시에 기상을 시켜서 수도꼭지를 열고 냉수마찰을 시키는 등 추운 겨울에 괴롭힘을 당하는 경우도 있었다. 모두가 잠들면 마치 시베리아의 겨울바람이 창문을 뚫고 들어오니, 발에 동상이 걸리고 감기가 떨어지지 않는다.

방장은 낮에는 낮잠을 자고 새벽에 교도관들과 거래를 하여 담배를 사들인다. 여기에 담배 한 갑이 500원인데 한 보루에 만 원으로 밀거래를 한다. 나의 영치금은 식대로, 담뱃값으로 그리고 우리가 있는 동안 수건, 비누 심지어 다른 곳으로 이감하는 죄수들의 속옷 값으로 나의 영치금이 사라졌다.

가끔씩 미지근한 물 한 바가지를 넣어주며 면도하라고 한다. 면도날은 수염이 뜯어지는 잘 들지도 않는 것을 주고 하란다. 나는 6개월 동안 면도를 하지 않고 출소했다. 교도소는 죄수들이 판사보다 더 정확하게 재판을 하며 언제쯤 출소를 하는지 200퍼센트 더 잘 알고 있다.

교도소는 자숙하고 반성하는 곳이 아니다. 그 안에는 모든 범죄자들이 범죄를 자랑삼아서 수법을 가르친다. 온갖 나쁜 짓은 다 알려주고 자랑스럽게 느끼고 반성은 없다. 6개월을 수감 생활하면서 범죄자들이 다른 사람에게 자신의 무용담을 자랑스럽게 이야기를 하는 것을 봤다. 심지어 노하우를 전수하기도 했다.

　나는 12월에 들어가서 이듬해 5월에 출소하니 다른 세상과 같았다. 그 지옥을 다시는 구경하고 싶지 않다. 집에 돌아오니 철없는 아이들은 아무것도 모르고 지내고 있었다. 아내는 체중이 줄고, 마음고생을 이만저만한 게 아니다. 가족들이 나를 바라보며 앞으로 살아갈 일이 걱정이다.

목회자도 사람이다

나는 교도소를 출소하니 집안이 말이 아니다. 빚더미에 직장도 없고 어린 자식들과 살아 갈려니 앞이 캄캄하여 걱정만 하고 있었다. 시골에 있는 원로 목사님이 서울에 있는 교회 사찰로 소개하여 작은 솥 하나 이불 하나 옷가지를 들고 어머니를 홀로 시골에 사글세방에 남겨두고 울면서 서울에 있는 이태원으로 갔다.

처음 교회 사찰을 하게 되었고, 아이들을 가르치고 성공하겠노라고 다짐하고 가보니 작은방 하나를 사택이라 내어준다. 다행히도 목사님은 인자하게 우리를 걱정하며 돌보아주려고 애를 쓰신다.

나는 새벽잠도 많은데 새벽 4시에 일어나서 교회 불을 켜고 교인들을 모시러 다녀야 하고, 마치면 교인들을 집으로 모시는 일을 해야 한다. 아침을 먹고 잠시 쉬려고 하면 여전도사가 와서 어디를 가자고 한다.

교인들 가정 방문 아니면 동대문 시장에 자료 구매를 가야 하고 돌아오면 유치원 아이들을 데려오는 일을 한다. 유치원을 마치면 목사님이 찾으시고 어디를 가야 하고 돌아오면 교회 일들이 밀려있다. 청소며 아이들이

어질러놓은 곳을 정리해야 하고 밤이면 청년들이 온갖 행사 준비하며 모임을 자주 갖는다.

보통 밤 12시에 각자 집으로 돌아간다. 가고 나면 청소해야 한다. 청소를 마치고 방에 들어가면 새벽에 일어나기가 힘들다. 이처럼 반복되는 일을 하는데 여전도사는 잠시도 나를 쉬게 하지 않는다. 화분 물주랴, 화장실 고쳐랴, 사무실 정리하랴…. 귀에 거슬리도록 지적하고 일을 시킨다.

나는 도저히 견딜 수가 없어서 5개월 만에 사표를 냈다. 다른 교회 작은 버스를 운전하기로 하고 이사했다. 이사하고 보니 방이 아니라 창고 시멘트 바닥에 커튼으로 가리고 부엌도 없는 창고에서 겨울을 지냈다. 아침 저녁으로 교회 일 하면서 지내고 시간이 나면 교회 일을 돕고 지냈다.

그러던 중에 아내가 무릎이 아프다고 하여 서울 아산병원에 검사를 하고, 입원하니 병원비가 100만 원이 넘는다. 창고에서 겨울을 견디며 지내는데 한 달 급여는 40만 원으로 생계는 점점 더 힘들어졌다.

큰아들은 초등학교 4학년 2학기다. 그렇게 봄이 오고 교회 차를 가지고 전도회 여행을 마치고 차량 청소를 하는데 갑자기 허리가 뜨끔하여 나는 자리에 누워버렸다. 병원 갈 돈도 없고 겨우 약국에 가서 약을 사서 먹었으나 차도가 없다. 일주일을 누워서 지내니 눈물도 나고 서글프기도 하고 사는 것이 무엇인지 회의가 들기도 했다.

궁리 끝에 담임 목사님께 약값을 조금 보태달라고 부탁하니 의논하겠다고 한다. 그리고 며칠 후에 돌아온 답은 다음과 같았다.

"약값을 해줄 수가 없습니다."

생각해보니 목사님은 교회에서 사례비를 다른 교회보다 배로 받고 있으며 또한 교회에서 가족 모두에게 보험료까지 교회에서 들어준다. 강단에서 설교하면 서로 사랑하라, 베풀어라 하면서 교인들에게 설교하면서 정작 교회 안에 같은 녹을 가지고 생활하는 직원인데 모르겠다니 어이가 없다.

몸이 아파서 약값을 조금 달라고 해도 무시하니 젊은 나이에 견딜 수가 없도록 괴롭고 마음이 아팠다. 그렇게 섭섭한 마음에 나는 모든 것을 포기하고 교회 생활을 정리했다.

사람은 사람이다. 믿을 것은 사람이 아니라 내가 가는 길에 준비를 잘 하여 사람을 보지 말고 오직 믿음으로 바라보는 것이 신앙이다. 목회자도 사람이다. 예배를 드릴 때는 경건하여도 막상 강단을 내려오면은 우리와 똑같은 사람이다.

나는 그 뒤로는 절대로 목회자를 가까이하지 않는다. 다만 예배를 드리기 위하여 교회로 가고 예배를 마치면 곧장 집으로 온다. 사람이 다 같을 수는 없지만 나의 마음에 상처는 지금도 남아있다. 오직 나의 갈 길은 말씀을 듣고 받아들여서 신앙을 가지려고 노력하고 있다.

오직 믿음의 성도들이여! 말씀으로 점검하고 말씀으로 전진하라. 오직 예수님분이고 오직 나의 갈 길은 말씀만 사모하고 믿음만 지키시길 전하고 싶다.

오토바이와의 추억

오토바이를 동네에서 1호로 샀다. 얼마 뒤에 국산 오토바이가 시중에 팔리기 시작했다. 나는 오토바이를 타고 골목을 다니면 동네 사람들이 구경하고 나이 어린놈이 오토바이를 타고 다닌다고 수군대기도 하였다.

오토바이를 타고 다니는데 면허가 없어서 경찰에게 단속에 붙잡히기도 여러 번 있었다. 오토바이를 타고 출퇴근용으로 타기도 하고, 들에서 일을 하다가 경운기나 탈곡기가 고장이 나면 부속을 사러 다니기도 했다. 기름이 떨어지면 주유소에 다니기도 하고 했다.

그때는 하루에 기름값이 500원이면 충분하게 타고 다녔다. 또한 500원이면 둘이서 짜장면을 사 먹을 수 있었고, 물가가 지금처럼 비싸지 않아서 다니기에 좋았다.

어쩌다가 옆집 아가씨를 만나면 안전모를 쓰지도 않고 뒤에 태워서 드라이브를 즐기는 날도 자주 있었고, 또한 일을 열심히 하다가 오토바이를 타고 놀러 다니면 일손을 놓기도 해서, 집에 들어오는 순간 아버지의 막대기가 나를 두들겨 패기도 했다.

한번 돌아다니기 시작하니 일이 손에 잡히지도 않고 멋만 늘어가고 밖으로 돌아다니는 횟수가 늘어갔다. 부루진 청바지를 양복점에서 4000원 주고 맞추어 입고, 구두도 3500원 주고 맞췄다. 주름을 잡은 구두를 신고 여기저기 다니고 하니 집안이 말이 아니다.

나는 가장으로 돈을 벌고 일을 해야 하는데, 노는 데에 정신을 잠시 빠져서 집에 걱정을 잊기도 했다. 아가씨들과 놀러 다닐 때는 좋았으나, 엉망이 돼버린 집안일이 걱정이다. 정신을 차리고 방황하던 오토바이를 집에 세워두니 아버지가 도끼로 오토바이를 여러 군데 망가트려 버렸다. 수리하고 나서, 나는 이전보다 더 열심히 가사를 돌아보고 동생들과 함께 가정을 지켜갔다. 그리고 결혼하여 아이들이 태어나니 아이들은 감기에 자주 걸려서 오토바이를 타고 병원 찾는 일이 자주 있었다.

하루는 아내를 뒤에 태워서 병원으로 가던 중에 치마가 뒷바퀴 체인에 감겨서 사고를 당할 뻔했고, 여름에는 쌀 80킬로 한 가마니를 싣고 비포장도로에서 물웅덩이에 쌀과 오토바이를 함께 물에 빠뜨린 적도 있다. 눈길에 미끄러져서 5미터 높은 논두렁 아래로 떨어져서 눈 속에 푹 묻힌 적도 있다.

지금 돌아보면 겁 없던 시절이었고 그래도 크게 다친 적 없고 추억으로 남아있다. 지금도 오토바이를 미련 버리지 못하여 대형 오토바이를 바라보고 있다. 언젠가 할리를 타고 여행할 날을 기대하여 본다.

고향 추억

　내가 살던 곳은 산천이 둘러싸인 첩첩산중 오지다. 하늘이 높게 보이고 구름도 쉬어가는 그야말로 청정지역, 돌과 바람과 작은 논들이 옹기종기 붙어있으며 흐르는 물속에는 일급수 물고기가 유유히 거닐고, 산까치 아침이면 좋은 소식 전해 주는 자연이 주는 아름다운 곳이다.

　좁은 골목길에서 지게에 엿판을 지고, 고물 가지고 오라며 가위질 소리가 엿장수 맘대로 치고 있다. 까까 머리 아이들은 엿장수가 나타나면 아버지가 신으시는 고무신 가지고 엿을 사서 먹다가 야단맞기 일쑤이고, 옆집 할아버지는 이런 고얀 놈 하면서 담뱃대로 머리를 친다. 맞아본 자는 알리라. 알밤에 혹불이 불어난다.

　바람은 돌담 사이로 스치고, 돌담은 제멋대로 쌓여서, 시골의 모습을 잘 보여주고 있다. 어릴 때 골목길에 뛰어다니다가 돌부리에 걸려서 넘어지면, 팔꿈치며 무릎이며 상처가 나서 자주 생긴다. 그래도 또 잊고 또래들과 해가 지고 어둡도록 골목에서 논다.

　어머니 저녁 먹으라고 찾는 소리가 들리면 그제야 아이들은 아쉬워하면서 각자 집으로 간다. 온종일 뛰고 놀면 밤에는 꿈속에서도 노는 꿈을 꾼다. 가끔씩은 이불에 세계지도를 그린다. 아침이면 어머니께 야단도 맞고, 때로는 머리에 대바구니를 씌워서 옆집에 소금 얻어오라고 야단치신다.

여름이면 담장 밑 감나무에 가서 자라고 있는 땡감을 따서 개울에서 물장구치고 놀기도 한다. 어느 정도 놀면 추워서 입술이 파래진다. 갓찐 강냉이와 감자를 가지고 친구들과 함께 맛있게 먹고 아버지가 찾으시면 큰어미소를 몰고 들로 가서 소에게 풀을 뜯게 하라고 하신다. 저녁이면 호롱불 켜서 옹기종기 가족이 둘러앉아서 칼국수 호박이 들어있는 저녁을 먹는다. 밤하늘에는 별들이 총총히 보이고 반딧불도 우리 가족 주변을 맴돌다 날아간다. 마당에는 아버지가 풀을 베오신 것을 가지고 모기 퇴치 모닥불을 피우고 우리 가족은 모닥불 연기를 날려가며 저녁을 맛있게 먹었다 지금 생각하면 자연 속에 아름다운 추억이다.

작은 개울 졸졸 흐르는 물소리, 옆집 송아지 엄마 찾는 음매 소리, 앞, 뒷집 아낙네들 간밤에 일어난 동네 소식 등 고요한 시골에 생기가 돋보인다.

앞에도 산이요, 뒤에도 높은 산이요, 하늘 아래 첫 동네라고 보이는 것은 산이요, 하늘뿐이다. 내가 어릴 때는 민물 가재며, 민물 피리, 덩어리들이 정말로 많이 있었다. 너도나도 학교 갔다가 돌아오는 길에 민물고기, 가재 잡는 것이 일상이다. 검정 고무신 속에 가득 잡아서 집에 가져가면 어머니는 냄비에 간장을 넣고 졸여주시던 기억이 새롭다.

지금은 그 옛날 호롱불 쓰던 시절은 간곳없고, 70년대 전기가 들어온다. 호롱불은 사라지고, 집집마다, 심지어 시골에도 컬러TV가 안방을 차지한다. 누구나 휴대폰을 사용하며, 시골이나 도시나 삶의 수준이 차이가 없다. 아직도 시골에 가면 내가 어릴 때 보던 달구지가 보이고, 재래식 디딜

방아도 보이고, 그 옛날 좁은 논둑길도 그대로 살아있다.

　들에는 쑥이 자라고 아름다운 꽃들이 나를 아는 듯 반겨준다. 고향의 향수가 가득한 풀 내음이 내 마음을 사로잡고, 고향은 언제나 여전히 나를 반긴다.

　오늘도 변함없이 그 자리, 그 모습, 그 풍경이 나의 마음에 잔잔하게 그리움으로 자리 잡고 있다. 어린 시절 함께 놀던 친구들이 새삼 그리워진다.

그루터기 사랑

　씨앗 속에 생명이 있듯이 삶의 그루터기가 있다. 샘물은 바위틈을 비집고 흘러 흘러 우물에 도달하고, 오고 가는 나그네의 목마름을 해결해 준다. 나는 부모님의 밑거름인 그루터기 덕분에 65년의 삶을 사는 것이다.

　우리 부모님은 누구인가? 자식을 낳고 기르시고 성장할 수 있도록 사회의 구성원이 될 수 있도록 피와 땀과 눈물과 희생과 헌신을 바쳐서 자식의 앞날의 부귀영화를 누릴 수 있도록 남은 그루터기에 영양을 모두 쏟았을 것이다. 그루터기는 눈물이요. 그루터기는 잘려나간 뿌리처럼 보여도 평생을 다하여 살아온 뿌리다.

　나의 부모님 특히 나의 어머니. 자신의 부귀영화보다 자식의 부귀를 위하셨고 자신의 행복보다 자식의 행복을 바라셨고 자신의 즐거움보다 자식의 웃는 얼굴을 좋아하셨다. 비록 내가 잘나서 잘된 것 같아도 부모님의 그루터기 사랑, 믿음, 신뢰가 있었기에 오늘 내가 행복을 누린다.

　행복이 무엇인가? 행복은 많이 가지고 부를 축적한 것이 아니고 부모님의 사랑을 얼마나 받았는가가 행복이다. 돈이 있다고 사랑을 살 수 없으며, 금은보화가 있다고 행복을 살 수 없으며, 권력이 있다고 빼앗을 수도 없다. 행복은 하나님 안에서 육신의 부모님을 만나 사랑받고, 또 나도 후세에 사랑을 전해서 길이길이 그루터기가 되어 없어질 때까지 헌신과 배려와 용서와 나눔을 가르치고 나누는 것이다. 세상에 어느 부모가 자식을 이뻐하지 않고 있겠는가!

특히 사랑하는 나의 어머니는 참으로 그루터기 희생이 컸다. 내가 1살부터 5살까지 잔병이 노심초사 밤낮으로 잠을 주무시지 않고, 갖은 약초를 구입해서 돌로 찧어, 물을 짜서 먹이고 손이 부르트도록 약을 먹이고 했다. 매일 설사를 하고 매일 잔병에 어머니 마음에 근심과 걱정이 밤낮을 가리지 않았다고 한다. 그때는 지금처럼 먹을 것이 귀하고 없던 시절이라서 단 한 번도 마음껏 먹어본 기억이 없다고 하셨다.

없는 집에 제사는 왜 그리도 많았는지 한 달이 멀다 하고 제사를 지내셨다고 한다. 나를 얻기까지 어머니는 마음고생을 해가면서 애쓰고 길렀으나 잔병은 낫지 않았다. 오히려 사랑하는 아들이 죽을 것 같아 제사를 그만두고, 건강을 위해서 교회를 다녔다고 하셨다. 그리하여 그럭저럭 자라게 되었고 어머니는 힘든 가운데서도 매일 교회로, 산으로 기도하러 가셨다. 가정에는 어린 동생들과 매일 반복되는 삶 속에서도 단 한 번도 희망을 잃지 않고 자식들을 돌보셨다.

오늘은 보리죽, 오늘은 김칫국, 오늘은 쑥국, 오늘은 감자밥, 오늘은 밀가루 반죽 수제비, 반찬은 배춧잎 주워다가 소금에 절인 김치, 짜디짠 재래간장.

어쩌다 시골 장날이면 썩어진 고등어, 마대 종이에 짚으로 묶여진 생선 한 마리, 여름에는 오이냉국. 이렇게 힘들게 살아도 애쓰고 힘쓰고 정성을 다해서 자식들을 길러내셨다. 어찌 말로 글로 다 쓸 수 있을까. 그루터기 그 사랑을, 그 희생을, 그 마음을….

내가 어른이 되어 이제야 부모님의 그루터기 사랑을 잠시 감사해 본다.

그리운 어머니

그리운 어머니
언제나 변함없던 어머니
마음껏 불러보던 어머니
이 세상 어디에도 없는 어머니
그토록 사랑으로 키워주시던 어머니
가슴이 저리도록 불러보는 어머니
어머니

사랑으로 일러주시던 어머니
근심 걱정으로 지켜주시던 어머니
애 간장 다 타도록 길러 주신 어머니
다시금 그리워해도 볼 수 없는 어머니
이제야 목 놓아 불러보는 어머니
어머니

어쩌다 결혼

23살 때에 죽을힘을 다해 일했다. 여섯 식구를 먹여 살려야 하는 가장이지만 직장도 없고 땅도 없고 그저 몸뚱아리 하나만 있었다.

열심히 일한 덕분에 60만 원짜리 기와집, 방 2칸짜리 집에 살 수 있었다. 마당에는 검둥이 한 마리 경운기 1대 오토바이 1대뿐이었다, 그렇지만 마을 어르신들의 신임을 두텁게 얻어 독일 병장이란 별명도 얻고 가끔씩 돈이 필요하면 어르신들의 용돈을 빌려 쓰기도 했다.

지금의 처이모님이 그 소문을 듣고 나에게 와서 말했다.

"예쁜 아가씨가 있으니 맞선 좀 봐."

나는 부모님에게 이 소식을 알렸고, 10월에 처음으로 맞선을 보러 처이모님 댁에 갔다. 어른들이 모두 계셨고, 지금의 처는 잠을 자고 있었다. 그때까지 처이모님은 처에게 맞선 얘기도 하지 않았다고 한다.

밤 10시에 아무것도 모르고 잠을 자던 그녀는 얼굴이 붉으스레 화장을 한 것처럼 얼굴에 자국과 긴 머리를 가지고 엉겁결에 맞선을 봤다. 그날 밤 조용히 집을 나와서 둘이 가까운 거리를 걸으면서 이것저것 물어보니 말수도 없고 묻는 말도 대답도 잘하지 않았다.

30분 정도 있다가 이모님 댁에 가면서 물었다.

"결혼할 수 있어요?"
-**"네? 생각도 안 해봤는데요….**"

1주일 뒤에 부모님은 승낙하셨다. 처이모님과 함께 처가댁에 정종 1병 소고기 2근 사서 갔다. 장인어른은 흔쾌히 허락해주셨다.

훗날 알게 되었지만 바로 밑에 처제가 부산에서 동거 생활 중 임신 중이었다. 장인어른은 큰딸을 먼저 보내야 하기에 다급했던 것이다.

하지만 아내는 결혼도 하지 않겠다고 말하며 구미로 돌아갔다. 장인어른 반협박조로 말했다.

"결혼하지 않으면 죽겠다."

우여곡절 끝에 결혼을 하게 되었다.

승낙을 받고 구미를 찾아갔으나 문전 박대를 당하고 편지를 여러 번 보냈으나 답장도 없었다. 지금 생각해 보면 아내는 글을 쓰는 문장력도 없거니와 글을 쓰는 것을 제일 싫어한다. 그리고 애교도 없고 그저 밖으로 다니는 것을 좋아한다. 장인어른은 동네 이장직을 하셨고 그저 사람과 술을 좋아하셨고 가정의 생활력은 뒷전으로 사셨다.

아내는 초등학교를 졸업하고 구미공단에서 돈을 벌어서 친정에 보태고 있었다. 내가 결혼 날짜를 받고 사주를 썼다. 처갓집에 가서 인사드리고 79년 5월 8일 낮 12시 예식장을 말씀드리고 돌아왔다.

5월 7일에 종일토록 비가 오고 다음날 아침에 비가 그쳤다. 작은 누나가 만삭이 되어 친정에 동생 장가가는데 축하하러 왔다가 8일 날 새벽 1시에 산파를 불러 둘째 조카를 낳았다.

그런데 부작용이 발생하여 밤새 잠도 못 자고 아침에 택시를 불러 누나를 입원시키고 바쁘게 돌아와서 정신없는 결혼식을 올렸다.

아내는 아무것도 몰랐다. 나는 정신없는 예식을 마치고 손님들에게 인사를 하고 저녁 버스를 타고 수안보 신혼여행을 떠났다. 수안보 산장 온천에 도착해서 사정 얘기를 하고 초야를 치르고 다음날 10시에 다시 가은 집으로 왔다.

그 당시 나는 100만 원 빚을 내서 결혼식을 올렸고 작은 선물을 조금 사서 작은누나 병실에 갔었다. 작은누나는 출산 과정에서 동맥이 터져 피를 많이 흘렸다. 심지어 하체에 바람이 들어서 온몸이 많이 부었다. 의사 선생님께 물어보니 30분만 늦게 왔으면 죽었을 것이라고 했다. 불행 중 다행으로 누나도 살았고, 조카도 무사했다. 자형은 그 당시에 서독 교육 중이라 연락을 못했다.

그렇게 신혼은 시작되었고 나는 불정 탄광에 취직이 되어서 다시 대성 탄좌에 출근하면서 동생과 부모님 아내를 책임졌다. 어깨가 무거웠고 고통도 많았다.

대성탄좌 사택을 얻어서 산골짜기 1칸 방에 살림을 시작했다. 빚으로 결혼식을 했기에 이자도 원금도 갚아야 하니 나는 벙어리 냉가슴으로 살면서 처갓집에서 해준 반지를 팔고 다른 집에 빚을 얻어서 앞에 빌린 돈을 갚아 나갔다.

하루는 일을 마치고 자전거를 타고 급하게 집에 들어오는데 타는 냄새가 집 앞에서 진동을 한다. 무슨 냄새가 나는가 하고 집에 문을 두드리니 반응이 없다. 부엌문을 따고 방문을 여니 방안에는 아내는 정신없이 자고 있고 밥솥은 벌겋게 불덩이가 되어서 바닥 장판에 불이 붙기 시작하고 방안은 연기가 꽉 차 있었다.

얼른 아내를 깨우고 물을 가지고 바닥에 불을 끄고 전기밥솥은 버리고 날밤을 샜다. 아내는 저녁을 앉혀놓고 기다리다 잠이 들어서 밥솥에 불이 났던 것이다.

내가 조금만 늦게 왔으면 불이 나서 집도 태우고 아내도 죽었을 것이다. 놀란 가슴을 쓸어안고 그곳에서 6개월 정도 살다가, 가은 은성광업소에 취직이 되어서 집으로 들어오게 되었다.

3년 6개월을 은성광업소 생활을 마치고 퇴직했다. 지하 갱 속에서 생활하다 보니 무릎관절이 아파서 부득불 일을 할 수 없어서 그만두게 되었다. 그 이후로 많은 고통과 고생이 장시간 수개월 지속되어서 가정 형편이 말 수 없도록 힘든 시간을 보냈다.

고마운 아내

아내는 여느 날처럼 투덜대며 지난 삶에 고생만 했노라, 푸념 아닌 푸념이 늘어진다. 나는 투덜대는 소리를 들으면 나는 나대로 짜증이 난다. 혼자만 고생했는가. 나도 고생 참 많이 했는데. 그러면서도 마음 한편에는 미안함이 많이 있다. 겉으로는 듣기 싫다고 큰소리 맞장구쳐도 늘 아내에게 미안하다. 맛난 음식 한번 사준 적 없고, 때때옷 한번 떳떳하게 사준 적 없다. 다만 나는 나대로 앞길 헤쳐 가는 길이 힘들어서 따뜻하게 아내에게 말해준 적도 없다. 그저 큰소리만 쳤다. 나이가 들고 자식들이 크니 아내에게 눈치 아닌 눈치도 보게 되고 나는 늘 부족함을 느낀다. 그래도 행복은 해야 하지 않는가.

내가 잘한 일은 장인어른 병들어서 시골 오가며 병원 모시고 다녔고, 장모님 홀로 되시어서 잠시 모시고 살다가 하늘나라 가시게 한 일은 내가 글로 다 표현할 수 없지만 참 잘한 일 중에 잘한 일이다.

나는 부모님을 모시고 살았고, 처갓집 부모님의 큰일도 도맡아 했다. 아내나 처남 그리고 처제들이 나를 감사하게 생각은 하고 있으리라 짐작이 간다. 지금은 아내가 투덜대도 나를 끔찍이 생각하고 있으며 나이가 들고 보니 그저 아내밖에 기댈 곳이 없다. 젊은 날 사는 동안 울고불고 싸우고 힘들 때도 있었지만 그래도 지금은 아내밖에 없다. 그저 대화만이라도 많이 하고 의논하면서 아내를 사랑하고 아내에게 자주 감사해야겠다.

재조명

태어남
삶의 목표
지난 세월
현재의 삶

삶의 굽이굽이마다 힘든 시간을 이겨내고, 지금도 나는 자유가 없고, 살아있는 한 일을 하며 살고 있다.

하늘을 쳐다보니 푸르른 하늘은 보이지 않고 안개 낀 스모그뿐이다.

우리가 사는 세상은 나쁜 환경의 공기, 부자들의 높은 빌딩, 어디를 보아도 나는 위축되고 마음이 불안하다. 그래도 나는 행복하다.

나의 아내가 뛰어나게 예쁘진 아니해도 나를 늘 생각하여 용기와 위로를 해주니 나는 행복한 사람이다. 나의 걱정을 대신하여 주고 나를 바라보며 기다려주니 참 미안하기도 하고 아내에게 감사하기도 하다.

지금껏 내가 잘난 양 살았지만, 모두 다 아내 덕분이다. 내가 가진 것이 없어도, 또한 나의 능력이 없어도, 나를 바라보고 함께하는 아내.

나는 늘 몸이 약하고 감기도 자주 걸린다. 가끔씩은 경제 문제로 다툴 때도 있지만, 그래도 한평생을 같이 살아 주니 고맙고 감사하다. 일찍 나는 두 아들을 키워서 국가의 군 복무를 잘 수행하였고, 지금은 두 며느리를 잘 만나서 우리 가족이 화목하다. 손녀, 손주 재롱에 힘이 부칠 때도 있지만 나의 마음은 행복하다.

우리 큰며느리(딸 같은 아이)는 마음이 곱고 늘 웃어주며 나의 힘이 된다. 결혼하고 한동안 아이가 없어서 많은 시간 고통도 있었고 아이를 기다리는 힘든 시간 하나님께 간절히 아이들을 선물로 주시기를 기도하기도 했다.

　나의 큰며느리는 생활력도 강하고 사랑과 인정도 많은 능력의 소유자다. 참 귀한 선물을 우리 가정에 하나님은 만남을 주셨다. 참 감사하다. 글로써 다 표현할 수 없지만 그저 나는 마음으로 사랑할 뿐이다.

　시간이 흐르니 하나님이 때를 따라 손자, 손녀를 셋씩이나 주시니 감사하다. 우리 큰아들은 말과 행동에 겸손이 부족하고 태도가 아직도 부족하다. 나의 바람은 아들이 언어도 행동도 조금 주의하고 겸손하면 좋겠다.

　그리고 나의 둘째 며느리(옥영애)는 밝고, 명랑하고, 예쁘다. 작은 아들과 서로 생각하며 서로 즐겁게 살아가는 모습이 참 기특하다. 또한 나의 첫 손녀를 안겨주어서 나는 즐겁다. 영애는 외형적이다.

　그리고 나의 둘째 며느리는 살아보겠다고 발로 뛰는 노력형이다. 지금 나는 인생 늘그막에 감사하고 행복하고 즐거운 삶을 살고 있다. 그동안의 힘든 삶이 변하여 가장 좋은 시간 가장 행복한 시간이다.

　주변의 친구들을 보면 자식 결혼문제와 자식 직장 문제로 걱정하는 친구들이 있는가 하면, 먼저 자식을 가슴에 묻고 눈물로 사는 친구를 있는데, 나는 그런 걱정이 없어서 마음에 위로가 주어진다.

　어릴 때에 함께 놀던 친구가 하늘나라로 이사를 한 친구들도 꽤 많다. 내가 돌이켜보니 나는 감사할 일만 있다. 삶이 돈이 다가 아니고, 건강이 우선이며 마음에 평강이 최고이며, 오늘도 걸을 수 있고 뛸 수 있는 것이 감사하다.

　내가 이 땅 위에 얼마나 시간이 주어지는지는 알 수 없지만 마지막 삶을 마치고 저 하늘 본향으로 갈 때에는 후회하지 말고 눈물 없이 기쁘게 안개처럼 갈 수 있기를 기도한다. 지난 삶이 괴롭고 힘들었지만, 하나님은 나에게 오직 축복을 허락하시니 감사하고 감사하다.

할아버지가 되다

내가 살다 보니 할아버지가 되었네! 손녀가 태어나던 날 설렘 속에 기쁨만 걱정이 반이네. 손녀를 안고 보니 예쁘고 신기하다. 싫든. 좋든 손녀 덕에 할아버지가 되었다.

손녀는 울어도 예쁘고 응가를 해도 냄새가 구수하다. 하루가 다르게 자라는 모습도 웃는 모습도 예쁘다. 기어다녀도 신기하고 붙잡고 일어설 때도 예쁘다. 손녀가 앉아서 넘어지면 하늘이 무너지는 것 같고. 가슴이 철렁 내려앉는다.

쥐면 터질까 놓으면 달아날까 노심초사 바라본다. 둘째가 생기고 셋째가 생기니 나는 영원한 할아버지다. 이제는 손주들이 눈에 안 보이면 보고 싶고. 집에 와서 뛰어놀면 집안이 전쟁이다. 서로 장난감 갖고 싸우고 밀치고 울고불고 야단이다. 몇 시간 있으면 빨리 저거 집에 갔으면 한다.

며느리 눈치 보랴, 손주 보랴, 우리는 힘이 부친다. 할아버지는 손주들에게만은 다 내어주고도 항상 바보가 된다. 맛있는 과자 사주랴 장난감 사주랴. 호주머니가 텅텅 빈다. 그래도 아깝지가 않으니 이상하다. 내리사랑인가보다.

내 자식 키울 땐 책임이 뒤따르니 정신없이 키운 덕에 자식 사랑을 많이 못 느꼈다. 손자, 손녀와 함께하니 지금이 나의 삶에 가장 행복한 것 같다. 정말로 할아버지는 손자, 손녀 덕에 웃는 날이 많아져서 기쁘다.

손녀와 봄

　코로나19로 세상은 온통 암흑 같은 세월을 모두 근심과 걱정 속에 살고 있다. 석양은 지더라도 내일의 태양은 일초도 어기지 않고 다시 떠오른다. 힘든 시기가 가고 나면 다시 힘차게 세상은 돌고 돌아가리라 기대해본다.

　내가 어렸을 때는 시계를 본 적이 없고 기차를 타본 적도 없다. 보릿고개를 넘기고 춥고 배고픈 시절이 있었다. 지금 아무리 힘들고 어려워도 우리 어린 시절보다 힘들지 않다.

　31개월 된 손녀와 함께 마트에 갔다.

"할아버지, 저기에 가보자"

　가리키는 곳은 장난감 앞. 이것저것 만져보고 눌러보고 한참을 만지며 시간을 보냈다.

"할아버지가 장난감 한 개 사줄까?"

손녀에게 물어보니 예쁜 손녀가 하는 말!

"할아버지, 이건 비싸서 안 돼. 할아버지 돈 없잖아."

하는 것이 아닌가? 깜짝 놀라며 한편으로 귀엽고 웃음이 나왔다. 다시 과자 코너를 돌고 있는데 손녀가 부른다.

"할아버지"

가보니 손녀가 과자를 먹고 싶었는가 보다. 그런데 손녀가 찾고 있는 과자가 보이지 않으니 할아버지를 불러 할아버지 눈을 크게 뜨고 찾아보란다. 31개월 된 손녀가 할아버지 보고 눈을 크게 뜨고 찾아보라는 소리에 또 한 번 놀랐다.

잠시 생각해보니, 내가 어렸을 때는 과자가 무엇인지도 몰랐고 기차도 열 살 때 처음 보았다. 세월의 변화가 얼마나 빠른지 31개월 된 손녀는 KTX도 알고 마트에 진열된 것들도 벌써 알고 있다. 할아버지 주머니 사정도 알고 있는 것 같다. 손녀가 먹고 싶은 과자가 보이면 손에 잡고 놓지 않는다. 한편, 나는 손녀가 과자를 집어 들면 그것은 비싸서 안된다고 빼앗아 제자리에 놓는다. 잠시 마트를 돌고 돌아 이것, 저것 사고 계산대 앞에 오니 손녀는 당연히 계산을 하고 자기 것을 집어 들고 웃는다.

"할아버지, 이제 먹어도 돼."

요즘 아이들은 일찍 사물을 파악하고 눈치도 구단이다. 지금 어렵고 웃을 일 없는 이때, 나는 잠시 손녀 때문에 또 웃고 기쁘다. 우리 모두 다시 메뚜기가 다리를 접고 뛰어오를 준비를 하듯이 우리 손녀처럼 욕심을 내고, 기회를 보고, 멀리도 아닌 가까운 시일에 웃을 수 있는 날이 온다는 기대를 해보자!

추위도 지나고 새봄이 왔으니 싹을 틔워보자! 다시 봄 내음을 맡아 보자! 사랑하는 봄 기대하는 봄 역동하는 봄….

성공은 노력의 대가다

나는 다른 친구들보다 욕심도 많다. 경쟁심도 많다. 14살에 신문 배달, 기와 공장(시멘트), 광업소 하층 광부, 자전거 기술, 용접, 미장일 등 닥치는 대로 삶을 살다 보니 어느새 나는 기술자가 되었다.

아마도 기술적으로 나에게는 재능이 있는 것 같다. 기와 공장 뒤 바라지로 공장에서 일하면서 기술자가 쉬는 시간이면 나는 기와 공장들에 모형을 넣고 기와 만들기 연습을 했다. 세월이 흘러 2~3년 만에 기술 습득을 다했고 기술자가 되었다.

하루 품삯 100원. 시멘트 일이라 손에는 늘 독성으로 속이 파여서 피가 흐르고 아프고 쓰리기 일쑤다. 그래도 생활을 유지하려고 열심히 3년 정도 봄부터 가을 초까지 일을 했다. 바로 위에 있는 누나와 함께 최선을 다해서 배고픔도 면하고 생활도 넉넉지는 않아도 그럭저럭 살 수 있었다.

겨울에는 자전거 점포에서 기술을 배우고, 봄이면 광업소를 기와 공장으로 뛰었다. 그 결과 광업소에서 산소 절단과 전기 용접을 배웠다. 자전거 기술과 전기 용접을 배워서, 자전거 점원 생활을 약 2년 정도 했다.

기술 보수는 그 당시에 5,000원 정도였고, 누나는 광업소 교환을 해서 급여가 약 12,000원 정도 했으니 그래도 잠시나마 재미는 있었다. 내가 20살이 되던 해에 누나는 결혼해서 울산으로 가고, 나도 이듬해 조선소 하층 용접공으로 취직을 해서 1년간 용접을 배우고 돈도 벌었다.

이렇게 20대 중반 광업소에서 탄광 일을 하고 결혼도 했다. 가진 것은 없고, 빚을 얻어 장가를 갔다. 결혼 후 빚을 갚기 위해서 아내 몰래 결혼 반지도 팔아서 약간의 빚을 갚았다.

지금은 나이가 있어서 취업할 수가 없다. 설상가상 코로나19로 실업급여로 생활하고 있다.

잠시 쉬는 동안 그동안 갈고닦은 기술을 아파트에서 도움을 주고 있다. 아파트 관리 회장을 하면서 용접 일이며, 나무 전지며, 화단 가꾸기, 인도 블록 다시 깔기, 미장일, 조명 등 교체하기 일을 해준다.

자전거도 100% 해체한 후 그리스 작업 후 재조립을 할 수 있으며, 일반 전기 용접 정도도 자신 있게 할 수 있고, 미장일도 한옥 처마 치받이 미장까지 할 수 있다.

하수도 막힌 곳도 컴프레셔를 이용해서 해결해 주고, 수도 공사도 할 수 있는 기술자가 되었다. 그야말로 만능 기술자다.

작은 가전 제품도 고칠 수 있고, 장난감도 수리하고, 경운기 보링도 할 수 있으며, 3급 자동차 정비 자격증도 취득해서 작은 정비 정도는 할 수 있다.

지금 이 글을 쓰는 이유는 닥치는 대로 일하는 바람에 모든 것이 몸에 배고 실력이 늘어가며 자신감이 생겨서 어려운 일을 닥쳐와도 돌파구를 찾아 해결할 능력이 있다는 알려주고 싶다.

사람은 노력을 끝없이 해야 한다. 남은 부모님 잘 만나서 고등학교 대학을 나와서 대기업, 또는 공무원을 했다고 한다. 그러나 나는 몸 하나만 물려받았다. 배움이 부족했다. 초등학교 졸업 후 산업 전선을 몸으로 체험하고 몸으로 부단히 노력했다. 기술자는 노력을 한없이 해야 한다.

기술자는 남들이 하지 못하는 것을 한다. 요약하면 나는 할 수 있다. 지금 이 자리에 오기까지 험한 일, 힘든 일 마다 않고 하다보니 여기까지 오게 되었다.

배울 때는 열 손가락 피나도록 했으며, 불에 데기도 했고, 망치로 손가락을 때릴 때도 있었고, 너무 피곤하여 잠자리에서 코피를 쏟을 때도 있었고, 그만두고 싶을 때가 한두 번이 아닌 적도 있었다.

때로는 친구들이 가방 들고, 교모 쓰고 학교 갈 때, 부러운 적도 있었고, 때로는 남루한 옷을 입고 다닐 때 아리따운 아가씨들이 놀려대기도 했었다. 지금 생각하면 길다고 여겨진 세월이 언제 갔는지 남의 얘기를 쓰는 것 같다.

고난도 잠시요, 고통도 잠시다. 해는 지고, 다시 밝은 해가 솟는 원리를 모르고 나만 슬퍼하고 힘들고 나만 겪는 고통인 줄 알았다. 지금 생각하면 초년고생 돈 주고도 한다는데 나는 돈 벌고 경험을 쌓고, 돈 벌고 기술을 배우고, 돈 벌고 삶을 배우고, 돈 벌고 가정의 소중함도 얻었다.

자유 민주주의 국가는 노력하는 자에게는 꼭 성공하고 부를 누릴 수 있게 해준다. 늘 깨어서 갈고 닦아서 빛나는 삶을 살아가야 한다. 성공은 고단함과 부단함과 끝없이 전진 전진할 때 노력의 대가 성공이 따르고 행복이 오는 것이다

진상부터 연예인까지

꽃피는 3월, 차 안에 온도가 참 애매해서, 온도조절 맞추기가 힘들다. 보통 여행하는 분들은 겨울옷을 벗고 봄옷을 입는다. 날씨 변화에 따라 차 안에 온도는 수시로 변한다.

어떤 사람은 겨울옷을 입고 덥다고 에어컨을 켜달라고 하고, 어떤 아가씨는 얇은 옷을 걸치고 춥다고 한다. 이때가 가장 온도조절이 힘들다.

밤사이 술을 잔뜩 먹고, 아침에 인사불성이 된 아가씨가 필름이 끊겨서, 여기가 어디인지, 누구인지 사람도 못 알아보고, 바지에 오줌을 싸서 다 젖어 있고, 고집을 피우면서 버스를 타고 간다고 한다.

이런 손님은 아침부터 태우고 가기 싫어서 대합실에 있는 의자에 앉히고 술이 깬 이후 승차하기를 바라고 태우지 않는다. 승무원들은 서로 흉도 보면서 태워가기를 꺼려한다. 그러다 어떻게 승차를 하게 되면 꼭 앞 냉장고 있는 곳에 앉는다.

이런 진상 손님을 참 싫어한다. 얼마 가지 않아서 냉장고 문을 열고 그

안에다가 구역질을 한다. 도착지 내려주고 나면 냉장고 청소하기가 역겹다. 그러나 어찌하랴? 청소해야지. 걸레를 구해서 1차로 닦고, 2차는 락스를 구해서 닦고, 3차는 소주를 구해서 닦고, 대기시간에 냉장고 문을 열고 2~3시간 세워두면 냄새가 사라진다. 두 번 다시 태우기 싫다.

한번은 동해안에서 손님을 태우고 내려오는데, 물건이 떨어지는 소리가 났다. 거울로 살펴보니, 바닥에 김장할 때 쓰려고 담은 액젓이 주르륵 흘러 버스 안에서 흘러 앞 운전석 바닥까지 흘러왔다. 무려 4리터였다.

먹을 때는 맛있는 젓갈이라도, 차 안에 쏟았을 때는 냄새가 역겹고 참고약해서 숨쉬기가 힘들었다. 내려오는 도중에 휴게소에 들러서 손님들을 하차시키고, 물을 열 양동이나 정도 하다가 씻어내고 다시 문을 닫고 운행해도 고약한 냄새는 사라지지 않는다.

목적지에 도착해서 락스를 쓰고, 다시 닦고 말린 후, 소주를 3병 정도 부어서 차 바닥을 말렸다. 그래도 냄새가 난다. 승강장에 차를 대고 손님을 기다리면 먼저 온 손님이 코를 막고 무슨 냄새냐고 묻는다. 어떤 이는 다음 차를 이용하기도 한다. 이 냄새는 정말로 싫다. 10~15일 정도 가면 냄새가 사라진다. 그 이후로는 통에 담긴 액체는 실내에 실어주지 않는다. 진상 손님은 또 있다.

아침부터 개를 안고 와서 차를 타고 간다고 한다. 보통 승무원들은 아침부터 개를 안고 와서 차를 타려고 하면, 그날 기분이 몹시 불쾌하게 생각하고, 타는 의자 위에 개를 놓고 도착지에 가보면 의자 위에 피, 흙, 사람의 긴 머리카락이 널브러져 있다.

청소하는 아줌마들이 있는 욕 없는 욕을 다한다. 자기 집에서나 개를 데리고 있지 차 안에 개를 데리고 다닌다고 말이다. 또한 개의 누린 냄새도 싫다. 요즈음은 법이 바뀌어서 사람보다 개가 먼저다.

자기 부모님을 모시고 여행은 안 가도 개를 데리고 간다. 하지만 제발 부탁인데, 개를 화물칸에 실어주면 더없이 고마울 것 같다.

또 한 번은 이런 불상사가 있었다. 서울에서 밤 11시 출발했다. 그날은 눈보라도 치고 몹시도 추운 겨울밤이었다 약 20명의 손님을 태우고 2시간 10분 정도 운행 후 선산 휴게소에 도착해서 안내 방송을 했다. 그런데 뒤에 타고 있던 아가씨가 소리를 친다. 실내 등을 켜고 보니 휴가 나온 장병이 인사불성이 되도록 취해서, 버스 복도에 발가벗고 누워서 잠이 들어서 자고 있었다. 아마도 술에 취해서 자기 집으로 착각했던가 보다. 실오라기 하나 없이 벗고 잔다.

내가 가서 깨워서 옷을 입혀서 대구까지 왔다. 도착해서 내리라고 해서 깨워도 정신을 못 차린다. 젊은 놈이 앞길이 막막하게 느껴진다. 참 황당한 하루의 밤이었다.

손님을 태우고 매일 같이 고속도로를 누비면서 연예인들도 참 많이 만났고, 이웃에 사는 이모님처럼 반가운 손님들도 만났고, 특히 기억에 남는 것은 뽀빠이 이상용씨의 이야기다.

이상용씨의 철칙은 자가용은 이용하지 않는단다. 꼭 대중교통을 이용하고 꼭 새벽 첫차를 타고 하루를 기분 좋게 출발해서 해가 저물면 어디가 되든지 숙박하고 밤차 이용을 안 한단다. 밤에 다니면 건강에도 안 좋고 마음도 어두운 생각이 들어서 싫단다. 그래서 꼭 첫차를 좋아한단다. 부지런히 사는 것이 신체건강과 정신건강에 좋단다. 나도 이상용 씨처럼 부지런하게 사는 사람이 좋다. 배울 점이 많고 웃는 인상 부드러운 대화가 특히 인상에 깊이 남는다.

가장으로 사는 것이 쉽지 않다

사는 것이 참 많이 힘들다. 잘하면 공이 없고, 못하면 모두가 하나같이 내가 잘못해서 이 모양 이 꼴이란다. 열심히 산다고 밤낮없이 뛰었건만, 아직도 부족한 것이 많은 것은 내가 잘못해서란다. 더 잘하려고 하다 보면 모든 것이 잘 안 풀리고, 힘든 시간은 길어지고, 고통은 가족이 같이 분담하게 되니, 원망은 당연히 나에게로 돌아온다. 선장이 항해를 잘못해서 가정에 풍랑이 일고 가족이 눈물이 나게 되니 모두가 내 탓으로 돌아온다.

인생은 누구나 초보자이고 삶은 언제나 안갯속이다. 내일을 알 수 없고, 미래를 알 수 없다. 아니 한 시간 뒤에 일어나는 것도 알 수가 없다. 오늘도 더 잘 살아보겠다고 노를 젓고 있으나, 인생은 여전히 안갯속이다. 돈을 쓸 일은 왜 그리도 많은지, 막상 돈을 벌려고 부지런히 뛰면 돈은 왜 그리도 멀리 달아나는지…. 돈은 참 우리 맘대로 안 된다.

진실보다 돈이 먼저다. 돈을 찾아 달려가면 죽는 것도 모르고 미련하게 돈을 좇는다. 가정사도 돈이 문제이고, 돈으로 가정이 깨지고, 돈으로 살인도 일어난다.

나는 빈주먹이다. 그래서 양심껏 일해서 살았고, 양심껏 노력하여 모은 것은 없으나, 지금 나는 홀가분하고 걱정도 없다. 삶에서 돈은 필요하다. 하지만 돈은 그저 남에게 빌리지 않을 만큼이면 된다. 없어도 걱정이지만, 있어도 도둑이 들까 걱정이다. 돈은 근심의 대상이요, 화근이다. 그러므로 가족을 이끈 항해사를 원망 말고 사랑으로 인생을 함께 가보자.

　가장이 행복해야 가정도 평안을 누린다. 가장은 늘 어깨가 무겁다. 고로 가족은 가장을 협력하여 풍랑이 없이 항해하도록 함께 가보자.

오래도록 세뱃돈을 주고 싶다

2022년 구정도 지나갔다. 어릴 적 배고픈 시절이 생각나서 추억을 더 듬어본다.

그 옛날 60대는 보릿고개가 있었다. 봄이면 쑥, 나뭇잎 새싹을 따서 밀가루를 묻혀 솥에 찌고, 식사 겸 간식으로 끼니를 때웠다. 어느 집 할 것 없이 양식이 떨어져서, 부모님들은 이른 추위에도 밭이며 논두렁에 쑥 뿌리를 캐고 산과 들로 다니셨다.

어린 자식들은 배고프다고 울고, 우는 아이 달래는 부모님의 마음은 늘 무거운 마음이다. 들에 보리가 익기도 전에 베어다가, 하루를 말려서 디딜방아로 겉만 찧어 벗겨서 밥을 해먹고 살아가고. 어머니, 누나들은 산과 들로, 아버지는 지게를 지고 산에 칡을 캐고 근근이 살아가던 보릿고개가 있었다.

저녁에는 보리밥 한 그릇 넣고, 김치를 썰어 넣은 보리갱죽이 일상이었다. 나는 보리죽이 죽도록 먹기 싫었다. 어린 마음에 부모님 걱정 생각하지 못하고, 그저 설날이나 추석이 오기를 손꼽아 기다리던 기억이 생각난다.

　명절에는 검정 교복이나 흰 고무신을 신을 수 있고, 새 신발도 신을 수 없다. 어른들은 명절이 오면 걱정이 되지만, 자식들은 부모 마음 모르고 성장한다. 어른이 되고 보니 부모님 마음 조금은 알 것 같다.

　나도 손자, 손녀가 재롱을 부리며 세배를 하겠다고 서로 야단이다. 우리 어릴 적엔 세뱃돈도 모르고 이웃집 어른들께 세배를 다녔다.

　우리 아이들은 보고 듣는 것이 많아서 빨리 배우고, 많은 체험을 통해서 두뇌와 행동이 빠르고 민첩하다. 손자, 손녀가 세배하고 엎드릴 때 넘어지고 해도 예쁘고 귀엽다. 기다렸다는 듯 맡겨놓은 것처럼 세뱃돈을 달란다. 할아버지가 되고 보니 세뱃돈도 많이 준비해야 하고, 선물도 준비해야 하고, 어른이 그저 되는 것이 아니다. 그래도 어린 손자, 손녀들을 바라보면 천진난만한 얼굴에 웃음꽃이 핀다. 세월이 유수처럼 흘러서 다시 갈 수 없는 어릴 적 시절은 돌아올 수 없어도, 오래도록 손자 손녀들에게 세뱃돈을 줄 수 있으면 좋겠다.

공부는 배워도 끝이 없다

공부는 배워도 끝이 없다. 나의 평생에 배움이 사무칠 때에 그리도 하고 싶은 공부였지만, 늦게라도 배움의 자리에 앉고 보니 공부는 어렵고 힘들다. 오늘 배운 공부가 자고 나면 아무것도 기억에 없다.

한글도 맞춤이 틀리고 수학도 '+, _ , %, X. (), =' 모든 것이 어렵고, 이해가 잘되지 않는다. 영어는 알아들을 수가 없고, 공부시간에 선생님의 눈치만 보고, 손짓 발짓해가며 쓰기도 하나, 머리에 도통 남는 것이 없다.

집에 가서 '반복해야지' 하면서 집에 오면, 텃밭에 가기 바쁘고, 밭에 가면 여러 가지 일들이 나의 손길을 기다린다. 김도 매야 하고, 약도 쳐야 하고, 열매 손질이며, 쓰러진 것을 세우기도 하고, 거름 주다 보면 해는 서산에 기운다. 집에 돌아오면은 손녀가 놀아달라고 하고, 아내도 이것저것 주문이 늘어간다.

그러다가 피곤이 몰려오면은 공부는 뒷전이 되고, 나름대로 열심은 내보지만, 머리에 들어오는 것이 없다. 시도 써보고, 복습도 해보고, 어려운 것은 물어가면서 중얼중얼하여도 공부가 쉽지 않다.

"옐로, 블랙, 화이트."

6살 손녀에게 이것이 영어로 뭐야 하고 물어보면 큰소리로 알려준다.

나는 그런 손녀가 귀엽고 사랑스럽다. 가정 형편이 어려워서, 가난이 죄가 되어 배움의 기회를 놓치고 철 지난 칠십을 바라보고 배워보니, 매일매일 잊어버리는 공부만 남는다.

자식 길러서 가르치고 결혼시키니 나의 꿈을 조금이라도 이루고 싶은 마음에 가방을 메고 학교를 향하니 행복하기도 하고 즐겁기도 하다. 하지만 마음에 부담도 늘어간다. 그동안 살기 바쁘게 사노라고 배움이 부족하여 지금 이 자리에 앉고 보니 내가 무식해서 겁이 없이 살고, 내가 무식해서 용감하게 살아온 것이 보인다. 더 많이 배우고, 더 욕심을 가지고 노력해야겠다.

이슬에 옷이 젖는다는 속담처럼 학교에 다니며 무엇인가 배움의 안목이 생기겠지. 미래는 알 수 없지만 큰 꿈을 가지고 도전하고 있다.

지금 마음으로는 1급 전기 자격도 가지고 싶고, 노년에 기회가 주어지면 통장이나 이장도 해보고자 한다. 나에게 여러 가지 자격증이 있지만, 그래도 배울 수 있는 기회를 늘려가고 싶은 마음이다.

부끄럼없이 삶을 살고 있지만 지금도 나는 당당하다. 또한 더욱 분발하여 죽는 날까지 도전정신으로 배우고, 용기를 가지고 노력에 노력을 더하는 모습으로 살고자 다짐한다.

행복과 불행

한 여행객이 목동에게 물었다.

"목담 양반 오늘 날씨가 어떻겠소" 하고 물으니 목동은 "내가 좋아하는 날씨라오" 한다. 여행객이 다시 물었다. "어떻게 당신이 좋아하는 날씨인지 안단 말이오" 다시 목동이 말했다. "그것은 지난 일을 돌아보면 늘 내가 좋아하는 것만 가질 수 없었죠. 그래서 나는 무엇이든 내가 처한 곳에서 무엇이 되었든 좋아하는 법을 알았답니다. 그러니 오늘도 날씨는 내가 좋아하는 날씨라오."

이 세상에 행복과 불행은 구별되지 않고, 오직 자기 마음속에 있으니, 같은 일을 하여도 행복을 마음에 가진 자는 늘 행복하고, 불평을 마음에 가득하면 불평이 불행이 되어서 자기에게로 돌아온다.

아름다운 마음으로 실천한다면 그 어떤 고난이 닥쳐도 이겨내고, 성공의 길이 열릴 것이니, 두려움을 버리고 오늘도 용기를 내봅시다.

나도 안 해본 일이 없고 많은 실수와 고통 속에서 지나오니 지금의 내가 있다. 비록 환경이 어려웠지만 지금 나는 행복을 배웠고 즐거운 시간 속에서 추억의 글을 쓰고 있다.

조급한 마음을 버리자. 인내는 쓰나, 시간이 흐르면 열매는 달다.

알 수 없는 세상

소한·대한도 지나고 봄추위가 시샘하네. 날씨가 갑자기 영하로 내려갔다. 손을 호호 불며 녹이고, 현장에서 추위와 싸우면서, 사력을 다해서 근무를 서고 있다. 세상은 춥고 날씨도 추운데, 들려오는 따뜻한 손길의 온정이 뉴스를 통하여 전파된다.

누구를 원망하기보다, 누구의 정성이 더욱 간절한 지금이다. 먹이 사슬처럼 인간사회가 얽혀가도, 옛날이나 지금이나 따뜻한 분들이 있기에 힘든 세상이 그래도 돌고 도나 보다.

추운 겨울 담장 밑에 폐지 줍는 할머니, 그도 젊은 시절에 부지런히 살았지만, 정직하게 살다 보니, 돈도 재산도 이루지 못하고, 지금도 어렵게 폐지를 주워서 생계를 이어가고 있는 모습이 나의 마음을 안타깝게 한다. 마음 한편이 시려온다.

이런 세상에 지금도 남의 것을 빼앗은 부자가 득실하니, 한편으로는 아직도 정의 사회가 아닌 것처럼 생각이 든다. 사기 치고, 불의하게 재산을 모은 자들은 떵떵거리며 호화주택에서 양주 마시고, 좋은 차를 굴리며 없는 자를 무시한다.

정직하게 평생을 일했지만, 먹고, 살고, 자식 공부시키니, 남는 재산이 없다. 그래서 나는 지금도 일하고 돈을 벌고 있다.

무엇이 어디서 잘못되었는지, 양심껏 일한 사람은 가난에 힘들어하고, 부정하게 재산을 모은 사람들은 하늘의 저주도 안 받고 잘도 살아간다. 정말 알 수 없는 세상이다. 명절이 되고 보니 없는 자의 서러움과 추운 겨울이 가슴을 더 춥게 시려온다.

그래도 정직하게 살았으니 두 다리 뻗고 살 수 있어서 마음은 편하다. 춥고 힘들어도 오늘만큼은 내가 자랑스럽다. 내일의 희망과 꿈을 가지고 더 분발하는 하루를 보낸다.

돌아가고 싶을 때가 있다

돌부리 솟아있는 내 고향은 산세 좋고, 물 좋고, 새들이 날아드는 아름다운 당포리. 지금은 할아버지, 아버지가 쉬고 계신 곳. 일평생 눈물겨운 애호 나이 깃든 곳. 작은 도랑에 맑은 물 졸졸 흐르는 곳. 내가 넘어지면 무릎이 깨어져 울던 곳.

내가 너무 어려서 이사를 나와 객지 생활 60년. 몸은 시들고 아픈 곳은 늘어나도 어릴 적 향수가 남아있는 곳 당포리. 초등학교 3학년까지 다니다가 떠나온 곳. 철없던 생각, 꿈도 피지 못한 곳.

학교 갔다가 집으로 돌아가는 길에는 쑥 향기 맡기도 하고, 호박꽃 따서 들고 논둑길 걸어서 집에 오던 길에 여자친구 2~3명씩 데리고 냇가에서 멱 감던 일. 비가 오는 장마철에는 큰형님들이 도랑 개울을 안고 건너던 추억. 서낭당에서는 팔월 추석 명절에 큰형님 누나들이 신파극이란 연극도 구경했던 추억. 검정 고무신 뒤집어서 작은 개울에 흔하디흔한 민물 가재 잡아 맨발로 집에 가던 곳.

모두가 아련한 어릴 적 추억이 담긴 내 고향 당포리. 지금 찾아가 보면 너무 어릴 때 나와서 반겨주는 이 없어도, 산천이 반기고 흐르는 냇가가 변함없이 반겨주는 포근한 내 고향. 추억이 서린 곳. 내가 태어났던 곳. 이제 석양이 지고 밤이 오면 나도 할아버지 할머니, 아버지, 어머니가 누워계신 곳 옆에 누울 수 있는 시간이 속히 오겠지.

빨갛게 익은 사과가 주렁주렁 달려있는 곳. 주먹만 한 감들이 익어가고, 가을 고추잠자리가 잊지 않고 찾아주는 양지바른 곳. 그동안 삶을 잠시 잊고 나도 고생의 짐을 내려놓고 편하게 내 후대 후손들이 찾을 수 있는 아버지, 어머니 곁에서 함께 눕고 싶다.

내가 나이가 들어서 살 만큼 살았어도 할아버지, 아버지 자식일 수밖에 없고, 살아생전 효도하지 못했어도 언제나 어머니는 나를 기다리고 계시겠지. 밤이면 별이 비치고 낮이면 해가 따스하게 양지바른 곳에 세상 시름 모두 내려놓고 하루라도 빨리 아버지 어머니 곁으로 가고 싶다. 이제는 삶의 고단한 몸을 내려놓고 내가 왔던 저 고향 언젠가는 돌아가야 하는 저 본향.

나그네 고달픈 짐을 모두 내려놓고 걱정이 없는 곳으로 떠나고 싶다. 이제 나도 나이가 들고 보니 철없던 시절이 주마등처럼 지나가고 자식 걱정, 먹고 살 걱정하다 보니 아까운 청춘은 언제 다 가버리고 한편으론 어떻게 살아왔는지 아득하기만 하다. 나에게 남은 시간은 알 수 없지만 걱정 근심 없이 살다가 갔으면 하는 마음이 일고 있네.

하루살이도 최선을 다한다

궂은 비 내리는 고모령이라 했던가. 아침부터 부슬부슬 비가 내리고 왠지 마음이 쓸쓸하기도 하다. 며칠 전 감기·몸살 증세로 엉덩이에 주사를 맞았는데 앉아있기가 불편하다. 아마도 주사 부위가 당겨서 통증이 심한 것 같다. 사람의 몸은 병원에서 고치기도 하지만 부작용으로 고생하기도 한다.

인간사 다 평탄할 수만은 없다. 높은 산이 있으면 평탄한 좋은 밭도 있다. 가시나무가 있는가 하면 향기로운 꽃도 있고 톡톡 쏘는 위협적인 벌이 있는가 하면 아름다운 나비도 있다. 버릴 때가 있으면 버린 것을 다시 주워서 쓸 때가 있다.

오늘의 삶은 오늘에 맡기고 내일 있을 일은 아무도 모르는 일. 그저 1초 아니 한 시간, 한 시간이 소중하고 감사하고 열심히 사는 것이 삶의 가는 길이요, 진리다.

돌아보면 늘 부족하고 후회스러운 일만 남는다. 귀중한 아내를 가까이 두고도 보물인 줄 모르고 살고, 옥 같은 자식을 두고도 남들 자식처럼 강가에 불구경하듯 했으니 내 이제야 할 것을 알게 된 것도 참 다행으로 여기고 이제부터라도 잊지 않고 보물과 옥구슬을 잘 돌보리라.

그해 피는 꽃은 그해만 피지만 다음 해는 다른 꽃이 피지 않던가. 하루살이가 하루만 살다가 죽어도 최선을 다해서 날고 또 날아가 하루를 살다가 죽는다. 사람이 알아들을 수 없다고 해도 하루살이는 '하루를 잘 살고 갑니다.' 할 것이다. 인생길 별것 있나. 비 오면 비 맞고, 천둥 치면 치는 대로, 태양이 지글지글 끓어올라도 더우면 더운 대로 견디고, 춥고 배고프면 참고 인내하고, 이 세상 살다 갈 때에 자식들 머리맡에 두고 후회하지 말고 고맙고 감사하게 살았노라 말할 수 있다면….

이것이 인생길이며 이 땅에 이름 석자 남기는 삶이다.

풀잎은 시들어도 뿌리는 살아 있고, 씨앗은 움직이지 않아도 땅에 떨어지면, 싹을 내고 본연의 모습은 가지고 자라난다. 그저 자식들을 남들보다 잘 가르치고 잘 살기를 원한다면 고생길도 가르치고, 고난의 행군도 가르치고, 밟히는 민들레가 꽃을 피우는 것처럼, 자식들은 온실에서 배부르게 키우고 가르치면 위험한 세상에서 천둥 번개가 치면 무너지고 쓰러지고 말 것이다.

산을 오를 때는 땀을 흘려서 정상에 도달하는 성취감이 있고, 다 오르면 땀이 마르고 내려가는 길은 쉽게 내려간다. 고생하고 힘든 날이 있어야 향기로운 꽃을 피우듯이, 자식들을 허허벌판에 던져서 이겨내고, 살아가는 법을 가르쳐야 한다. 나도 나이가 어려서 아무것도 모를 때부터 험하고 어려운 가시밭길을 걸어왔기에 지금은 자신이 있다. 견디는 힘이 생기고, 이겨내는 방법을 가지고 있다.

대장간의 쇠는 불에 달구어서 수없이 많은 망치질이 있어야 한다. 필요한 도구가 만들어지는 것을 보고 듣고 했기에 잘 알 수 있다. 함께 가는 세상 속에서 남을 쳐다보지 말고 그저 옆으로 같이 가는 이웃이 되어 바라보고 위로하고 축복하고 도우면서 어깨동무하는 평범한 삶을 살기를 바랄 뿐이다. 구슬이 언제까지 바늘 끝에 얹혀있겠는가.

그저 숟가락 위에 흰쌀밥처럼 안전하고 평화로운 삶이 가장 행복하다. 장미꽃 뒤에 가시가 있듯이 있는 가시도 받아들이고, 새봄이 오면 자연히 더 아름다운 꽃을 가지리라. 오늘 안달하지 말고 인내하고 더 노력해서 꼭 좋은 열매가 맺혀지기를 바랄 뿐이다. 상가 건물에 붙어있는 간판들이 모양도 글씨체도 디자인도 제각각 다르다. 사람의 성격도 시간과 장소에 따라서 때로는 선의의 포장으로 거짓말을 하고 때로는 카멜레온처럼 위선을 가지고 살기도 한다. 동화 속의 청개구리가 매번 말을 듣지 않고 말썽을 부리는 것처럼, 사람의 마음속에는 천사만 있는 것이 아니다. 청개구리 심보도 있다.

누가 누굴 심판하고 잘잘못을 논하기 전에 먼저 나의 마음을 한번 다스리면 어떨까? 고무신 거꾸로 신었으면 벗어서 다시 신고, 입술이 더러우면 참 선이라도 해서 씻어야 할 것이다. 어찌 더러운 입으로 이웃을 만나고 사랑을 노래할 수 있겠는가. 정결하게 씻어도 옷이 더러워지듯이, 매일 목욕해도 때가 나오듯이, 마음도 매일매일 씻는 자세로 살면 어떨까?

땅은 더러워 보여도 세상의 모든 것을 정화해서 사람들에게 되돌려 준다. 우리도 우리가 쓰고 있는 모든 것들을 씻고 또 씻어서 후손들에게 물려주고, 정직한 열매를 맺는 살아있는 씨앗의 교육을 가르쳐야 될 것이다. 꿀이 나지 않고 겉모양만 예쁘면 벌이 찾아들지 않는다. 화려함보다 달고 오묘한 깊은 향기가 묻어나는 우리가 꽃이 되었으면 한다.

이것이 인생이 아닐까?

　　나무마다 잎 모양이 다르고 꽃마다 생김새가 다르듯이 사람의 마음도 모두 제각각 다르다. 온유한 사람이 있는가 하면 그저 사람만 보면 득이 되지 않는 소리를 내뱉는 사람이 있다. 아닌 말로 숨 쉬는 것 빼고 모두가 거짓말을 하는 사람 마음은 야수 또는 늑대, 여우라고 표현한다. 진정한 사람은 만나면 다가가고 싶고 피하고 싶은 사람은 만나는 것 자체도 싫다. 생김새는 사람이나 마음은 야수 또는 늑대, 여우라고 표현한다.

　　진정한 사람은 만나면 웃어주는 사람, 만나면 반갑게 맞이해주는 사람. 만나면 상대를 배려해주고 들어주며 베푸는 사람이 가장 삶을 잘 살고 행복한 사람이다.

　　세상은 돈이 전부가 아니다. 돈이 있으면 건강이 안 좋고, 명예가 있으면 존경이 없고, 머리가 있으면 친구가 없고, 좋은 집에 살면 행복이 없다. 그저 고달픈 몸 마음 편히 누울 수 있는 가난한 집이 더 삶이 있고, 행복이 있고, 미래가 있다.

　　배우면 무엇하리오? 제 잘난 탓에 어른 공경이 없고, 세상에서 자기가 제일인 양 거만하게 보이며 행동하는 모습을 자주 본다.

부모를 위로하고, 부부가 서로 존경하고, 자식을 사랑하고, 이웃에 안부를 묻고 정답게 인사를 하는 것이 삶이고 사람의 도리이다. 인간이 짐승과 다른 점은 사람은 머리를 들어 하늘을 볼 수 있도록 생겨났으며, 머리를 들고 하늘을 보면서 생각한다는 점이다. 짐승은 그저 땅만 내려다보며 살도록 만들어졌다.

괴로울 때는 하늘 한 번 쳐다보고, 밑바닥에서 메뚜기처럼 다시 뛸 수 있도록 열심을 다해 사는 것이 사람이다.

오늘도 어제 있던 건물 그대로, 전봇대는 그대로, 나무도 그대로인데, 어제 숨진 사람은 오늘을 알 수 없고, 볼 수 없고, 이 세상이 있는 줄도 모른다.

오늘 태어나는 신생아도 있다. 어쩌면 삶의 순리이다. 삶을 사는 오늘을 귀중하게, 감사하게 생각하자. 오늘 내가 내일 이 세상을 바라볼 수 없다는 각오로 오늘의 시간에 충실해야 하지 않을까?

사람마다 생각이 다를 수는 있지만 오늘 참고, 인내하고, 베풀고, 용서하자. 하루가 긴 시간 같아도 돌아보면 쏜살같은 세월을 느끼면서 산다. 내가 먼저 즐거운 얼굴로 시작하고, 내가 먼저 손해 보고, 내가 먼저 즐거운 얼굴로 시작하고, 내가 먼저 '감사합니다, 고맙습니다.'라고 말하며 밝게 마음과 몸이 진정 있게 살아보자.

같은 길이 어제가 다르고 오늘 다르듯이, 오늘 가야 할 길은 차근차근 주변을 살피고 돌부리에 걸리는 삶이 아니고, 살피고 안전한 길을 걸을 수 있도록, 끝까지 두 손 잡고 걸으면서 가는 삶이 더욱 값지고 좋겠다.

나의 가는 인생길에 비도 맞고, 눈도 맞고, 바람에 흔들리는 순간이 있더라도, 비 오면 비에 젖고, 눈 오면 눈도 만져보고, 바람이 불면 바람 부는 대로 세상살이 순응을 잘하는 것이 인생이 아닐까?

　　무더운 여름 장맛비로 습도가 높고 온도가 높다. 다들 더위를 피하려고 한다. 더위로 지쳐있을 때 시원한 계곡을 찾으면 되고, 여름은 여름대로 풍성한 과일과 맛있는 수박이 있듯이 즐거운 여름을 어릴 때 여름 방학을 보내는 것처럼, 때론 어린아이처럼 살아보자. 매미 소리, 노랫소리도 듣고 새들의 합창도 누리며 말이다.

흙처럼 살고 싶다

흙은 모든 것을 떨어주는 고귀한 흙이며 많은 생명체를 품고 있는 살아 숨 쉬는 땅이다. 붉은 땅이 있고, 검은 땅이 있어도, 변치 않는 것은 세상을 품는 것이고 생명을 살리고, 모든 생명이 살아갈 수 있도록 모두를 내어주고 있다. 생명은 무엇인가. 흙이 아니면 생명이 있을 수 없고, 흙이 아니면 도움을 구할 수가 없다.

나는 지금까지 살면서 흙에 대한 고마움을 느끼지 못했고, 사랑을 알지도 못했고, 인정도 해본 적이 없다. 지금 해가 저무는 나이가 되고 보니 세상이 아름답게 느껴지고, 나무가 존귀하게 보이고, 흐르는 물이 사는 길을 인도하는 것처럼 느껴진다.

그동안 남들보다 더 잘살아보겠다고 하늘 한번 여유롭게 올려다본 기억이 없다. 나의 추억은 냇가에서 동생들과 함께 골뱅이, 다슬기를 잡던 기억 전부인 것처럼 생각이 난다. 비록 가난에 찌들어 동심도 잊어버리고 먹고사는데 급급해서 다 피지도 못한 채 가장의 무거운 짐을 지고 지금껏 살았네.

지식이 짧은 머리로 두서없는 글로써 다 표현할 수 없도록 삶을 살았기에 지금 저녁노을이 나의 인생의 가장 행복한 시간으로 느끼고 느끼기 시작했다.

우리 큰 딸 같은 며느리와 나는 가진 것 없어도 자식 둘 다 가정을 이루었고 손자, 손녀도 3명이나 되고 비록 골골거리는 아내도 내 곁을 지켜주고 있으니 옛날의 임금보다 더 행복하다.

이조시대, 조선시대 모든 임금이 지금 나보다 행복했을까? 칼라TV를 보고, 손에는 휴대폰을 가지고 인터넷을 하고 있고, 멋진 자가용은 아니라도 비싼 휘발유 승용차를 가지고 어디든지 마음만 먹으면 갈 수 있으니 부자가 아닌가?

내가 이 땅 위에서 걸어 다닐 수 있는 시간이 얼마나 될지 알 수 없지만 흙처럼 진실하게 흙처럼 구수한 냄새와 흙의 사랑을 배우며 사랑을 나누며 살고 싶은 지금의 마음이다.

흙은 나무뿌리도 품어주고 자갈들도 품어주고 각종 씨앗도 품듯이 지금까지 살아온 나의 마음도 모든 것을 품어갈 수 있도록 변화하며 살리라. 때로는 물러서고, 때로는 모든 경험을 토대로 인도하고, 같은 하루를 살지라도 마음이 풍요로운 삶을 살리라.

이제는 돈을 찾는 시기도 지났고, 명예를 가지는 시간도 지났고, 이제는 고생하고 했으니, 인자하고 나를 많은 사람들이 필요하여 찾아주고, 안부를 물어주고 하는 삶을 위해 살아가 보자.

말없이 흙처럼 비와 바람도 맞고 지금의 아내인 김송자와 여생을 행복을 누리고 영원한 하늘나라에 있는 내 어머니 계신 곳에 가리라.

모든 것은 마음먹기에 따라서 행복의 길로 갈 수가 있고, 악한 마음 교활한 마음은 멸망과 죽음의 길로 갈 수밖에 없다. 나의 선조들은 무엇을 하다가 조상이 되었는지 알 수 없지만 나는 후손들이 기억해주고 내 후손들이 늘 하나님의 은총 아래 복을 받고 자자손손 아름다운 하나님의 자녀로서 향기로운 삶을 살기를 비는 마음으로 기도하는 바람이다.

별을 꿈꾸다

　　사람의 마음도 하늘에 별들처럼 아름다운 별을 꿈꾸고 살고 있다. 노래 가사처럼 0시에 이별이 있기도 하나, 여전히 별의 꿈과 별처럼 빛나는 삶을 원하고 원한다. 무대 위에서 반짝이는 옷을 화려하게 입은 연예인들은 더욱 별처럼 인기를 누리기를 원하고 성공하기를 원하기도 한다.

　　군인들은 계급에 별을 달기 위해서 죽을힘을 다하여 노력하고 헌신한다. 부귀영화와 명예를 발휘하기 위하여 모든 것을 다 바친다. 처녀, 총각은 러브콜을 받으면 속삭이는 말로 저 하늘의 별도 따준단다. 지금까지 별을 따준 사람이 있을까? 내가 아는 상식에는 없다고 생각한다.

　　소녀, 소년 시절 망원경을 통하여 우주에 있는 별들을 볼 수 있다. 사랑의 징표가 별이 아닌데도 별을 좋아하고, 별을 바라보고, 목표로 삼고 살고 있다. 수많은 예비 신랑이 저 하늘의 별을 따준다고 수없이 속삭였을 것이다. 딸 수 없다는 것을 알면서도 수줍은 아가씨 때는 당연한 것처럼 믿고, 사랑을 노래하고, 사랑하고 또 사랑했다. 그러나 가정을 꾸리고 나면 삶에 지치고 욕심 때문에 매일 변함없이 밤이면 밤마다 나타나는 별을 볼 수가 없다.

사람은 머리는 하늘을 향해서 바라볼 수 있도록 하느님은 만드셨다. 소, 말, 양, 염소, 닭, 개 등 모든 짐승들은 땅을 보고 땅에 있는 것을 찾아서 살 수 있도록 하였다.

고달프고 힘든 삶을 조금 늦게 조금 천천히 살고 마음의 구름을 걷고 하늘을 향해 소리를 질러보기도 하고, 밤에는 저 하늘의 별을 바라보기도 해보자.

삶이 무엇인가. 평안이 아닌가. 하루를 지쳐서 살 것이 아니고 우주에 있는 욕심 없는 밤하늘의 별을 바라보자. 비록 작은 빛일지라도 별은 자기의 본분을 잘 나타내고 있다. 별은 계급이 아니고, 별은 사랑의 속삭임도 아니고, 별은 이별의 상징도 아니며, 별은 0시의 이별도 아니다. 다만 평화로운 하늘의 놀라운 꽃일 것이다.

낮에는 뜨겁게 사랑하고 뜨겁게 열심히 다하되 밤에는 휴식처에서 가정에서 밤의 향연을 구경하고 즐겨보면서 평안을 누려보자. 매일은 아니더라도 가끔씩이라도 하늘을 바라보자.

아기 예수님 탄생 때도 빛나는 별이 있듯이 우리가 사는 세상에도 아름다운 새 생명이 태어나면 가정의 별이요, 무엇과 비교하리오. 별도 아름답듯이 삶에 별은 무엇일까. 조급하게 살지 말고, 욕심을 부리지 말고, 평안에 별을 꿈꾸어보자.

요즘은 사람들은 부에 눈이 어두워서 땅 투기, 부동산 투기를 한다. 온통 세상이 썩었다고 하며 자라나는 세대들에 희망이 없다고 한탄하고 개탄스럽다고 말하며 정치를 비난하고 좌절한다. 이러한 사람들이 하늘의 별을 볼 수 있을까? 사람답게 땀 흘리고 사람답게 베풀고 사람답게 사랑하고 평안을 갈망해 보자.

욕심을 부리면 감옥에 갇히는 벌을 달고 만다. 욕심은 사망이요 멸망의 길이다. 욕심은 마음을 병들게 하고 육신을 병들게 하며 가정이 망하고 만다.

하늘에서 떨어지는 작은 비처럼 자연스럽게 떨어져 보자. 물질이 없으면 어떠하리, 마음의 평안이 제일인 것이요. 행복의 첫걸음은 꿈꾸는 아름다운 평안의 별이 되어보자. 모두가 행복한 별, 사랑이 넘치는 별, 다 함께 사는 별이 되어보자.

저 하늘의 별은 욕심도 없고 늘 싸움도 없고 늘 행복하게 우리에게 아름다운 밤을 선사한다. 마음의 구름을 걷어내고 가슴을 펴고 오늘도 어김없이 별을 보고 행복해 보자.

내일은 있다

우리가 태어나기 전에 불빛은 있었다. 깜깜한 밤에 얼굴은 보이지 않아도 반딧불은 빛을 발하며 즐길 줄 알고, 즐겁게 밤이 새도록 춤을 추며 빛을 준다. 그 옛날 호롱불에 기름이 없던 시절. 아마도 선배들은 달빛 아래 눈을 비벼가며 공부했단다. 비록 작은 호롱불일지라도 나라 큰선비들의 눈이 되었고, 작은 등불이라도 오고 가는 이의 길을 안내해 주었다.

지금 다들 어렵다고 아우성치고 하나같이 대화들이 어찌 살아갈까 걱정들이 많다. 왜 사람들은 매일 걱정을 가지고 살까. 그 옛날 기와집이 아니고 초가삼간 할아버지, 아버지, 어머니, 형님, 누나가 좁고 좁은 방에서 정겹게 들려주시던 옛날 얘기.

할아버지의 담뱃대에 품위가 있던 그 시절, 우리는 비록 가난하고 비루해도 동방의 예의가 있는 우리가 아니었던가. 다시 지나버린 옛날을 생각해보자.

그렇게 힘들고 앞이 보이지 않아도 우리 민족은 내일이 잘되고 우리 후

손이 잘 되기를. 우리의 선조들은 밝지는 않아도 저 달을 보며 희망 속에서 기도하지 않았는가. 반딧불에서 석유, 호롱불이 되고 호롱불에서 전깃불이 되어 얼마나 살기 좋은가. 지금도 우리는 큰 사람 밑에서 나의 작은 불을 피우고 있지 않는가?

꿈을 키우며 우리 모두 큰 욕심 말고 첫 계단에서 저 높은 산을 보고 걸어보자. 괴로운 마음을 담고 시작했을지라도, 정상에 오르면 환희와 감동과 자신감 그리고 다시 뛸 수 있는 용기가 나오지 않을까? 지금 우리는 신뢰가 무너지고, 남을 의심하고, 또한 나만 가지고 싶고, 나만 누리고 싶고, 나만 잘 되고, 내가 잘났다고 우쭐대며 사는 것은 아닌가? 모두 남에게 거리낌 없이 탓을 돌려버린다.

다시 한번 우리가 처음 빛을 보았을 때 순수하고 깨끗했던 그 시절로 천천히 돌아가 보자. 그곳에는 사람이 있었고, 그곳에는 행복이 있었고, 그곳에는 신뢰가 있었고, 그곳에는 사랑이 있고, 희망의 불씨가 있었다.

2020년 코로나19 위기 속에서 평생 아끼고 모은 재산을 힘든 이웃에게 써달라고 기부하고 있는 분들이 있다. 이 얼마나 감사한 용기인가? 내 것이 소중하고, 내 것이 아깝고, 내 것이 최고일지라도, 돈이 들어가지 않는 사랑을 전하고 배려하고 나누어서 또다시 내일의 저 큰 태양이 되어보자.

오늘 밤이 어둡다고 내일이 없겠는가. 밤은 캄캄해도 저 터널은 어두워도 빛이 없는 저 강은 무서워도 내일의 해는 떠오른다. 산 계곡은 험하고 가시나무 길이라도 땀을 닦아가면서 정상에 오르면 그간 가는 길이 언제 힘들었는지 바로 그 순간 잊어버리고 기쁨을 누린다.

저 달려가는 기차는 양쪽에 있는 레일을 밟고, 멀리 빛을 발하고 달린다. 나 혼자 세상을 사는 것이 아니고 부모님이 계시고, 형제자매가 있었고, 내 이웃이 있어야 철길 위에 기차처럼 달려갈 수가 있다. 내가 먼저 빛이 되어서 나의 마음을 비추고, 내가 빛이 되어서 많은 사람들의 빛이 되어주면 어떨까.

오늘의 고단함도 오늘의 계획이 비록 이루지 못했을지라도 자고 나면 다시 용기가 생기고 힘이 생기고 의욕이 있지 않는가? 베풀고 살아보자. 나누고 살아보자. 함께하며 살아보자.

새벽의 봄

새는 울어도 눈물이 없고
닭은 울고 새벽이 오고
사람은 울고 가슴이 뚫리고
세상은 자고 나고 변하고
청춘은 언제 가버린 것인지
머리에는 서리가 내려있네

노래는 들으면 즐겁고
춤을 추면 건강이 회복되고
사랑을 노래하면 만사고
행복하고 아름답게 보이네
추억 아름다운 것
지나온 세월이 어제같네

봄은 언제나 기다려지고
새싹은 언제나 희망을 주네

년년이 오는 봄은 풍요를 안고 오네

가는 이는 봄을 버려도
새로 오는 생명들은 봄의 청춘을
즐기며 맞이하네

봄이면 만물은 약속이나 한 듯
어김없이 싹을 피우고
나비와 벌이 날아오며 깊은 산속
참새 뻐꾸기 종류를 알수 없는 새들과
노래 합창을 하는 숲의 동물들도
추운 겨울을 이겨내고 기지개를 켠다

한송이 꽃

꽃은 왜 피는가? 계절 때문일까? 아니다. 사람이 살 수 있도록 자연이 준 것이며 상한 마음을 치유하고 밝은 마음으로 인간이 살기를 위해서 피는 것이다.

한 송이 꽃 피우기 위해 최소한 180일의 햇빛이 필요하고 또한 추위에도 꽃과 열매가 맺힌다. 벚꽃이 만발하니 너도나도 마음의 꽃이 필요한가 깊이 생각해 보니, 삶에 지치고 힘들고 여러 가지 모양 삶이 보여도 꽃은 힘을 주며 다시 일어설 수 있는 용기를 주고 희망의 씨앗을 준다. 마음에 쌓인 스트레스를 날려버리고 행복이란 두 글자를 가슴에 담아준다.

가시가 있는 아카시아 꽃이며, 붉은 가시 장미도 사람들의 회복의 능력이 생기면서 일상의 에너지가 된다. 꽃은 향기와 더불어 세상을 변화시키며 또한 어린이는 나라의 꽃이 되고 어린이는 어른들의 상처를 치유되게 하는 꽃이다. 수많은 이름 없는 꽃들이 각자 자기의 삶을 최선을 다해 꽃을 피우듯이, 사람들도 각자의 꽃처럼 향기로운 사람, 벌이 찾아드는 꽃다운 사람, 나비처럼 사분히 주변을 도움 주는 벚꽃처럼 화려하게, 눈꽃처럼 깨끗하다.

또한 우리들은 살아있는 꽃다운 삶을 살고, 실천해서 다음해에는 더욱 아름다운 꽃으로 피어나리.

장미꽃 붉은빛, 개나리 노란병아리, 목련처럼 더 희게 각자 자기 재능의 꽃을 피우고, 각자의 본분을 자기 자리에서 빛내보자.

꽃피는 새봄에 다시 마음을 전열하여 이 한 해도 승리의 선물을 안겨보자.

돈보다 중요한 것

　세상은 자고 나면 변하고, 눈 뜨면 큰 뉴스들이 매일 삶을 놀라게 한다. 대선을 앞두고 크고 작은 사고들이 우리의 마음을 근심하고 걱정을 주고 있다. 누구나 호흡하고, 누구나 보고, 누구나 먹고산다. 삶의 중심을 잘 잡고 사는 사람이 있는가 하면 자기의 본분을 잊어버리고 망각하며 사는 사람도 있다.

　오늘도 신실하신 하나님은 노하기를 더디 하시고, 성내기를 미루시며, 우리들의 모습을 불꽃 같은 눈으로 보고 계신다. 사람은 철없이 자라고 성인이 되어서 자기 능력으로 사는 것처럼 보여도 그동안 부모님의 사랑과 가르침이 있었기에 험한 세상 속에서도 꿋꿋이 이겨가고 살아가고 있다.

　자식은 태의 복이요 또한 자식은 옹기그릇이란 모습과 같다. 어디에서 깨어질까 걱정이 되고 넘어질까 노심초사, 바람 앞에 등불처럼 늘 걱정을 가지고 살고 있다. 공부시킬 때는 부모는 공부를 잘해주면 하는 바람을 갖고 지켜보고, 자식들이 커가는 모습에 한편으로 위안도 받으며, 웃고 울고 바라보고 살고 있다.

항상 기쁘고 즐거울 수만은 없다. 늘 삶에는 돈이 먼저다. 아니라고 하면서도 머니가 먼저인 세상을 살고 있다. 하나님은 사랑을 가르치고 바라고 있으시지만, 사람들은 돈을 먼저 사랑하고 또한 돈을 섬기고 있다. 돈을 위해서 온갖 비리를 저질러서 부자 되는 사람들이 판을 치고 있으나, 몸 하나 가지고 열심히 가난하게 살아도 최선을 다해서 사는 사람도 많다.

땀을 흘리는 자는 밤에 달콤한 잠을 잘 수 있으나, 부정한 돈을 취하는 자는 앉아서 쪼그려 근심 속에 숨어 사는 모습을 볼 수 있다. 내 자식들은 정직하게 일하고, 정직하게 살고, 사랑 안에서 작은 행복을 가지고 살기를 바라는 마음뿐이다. 우리 세대는 3대가 함께 부모 봉양하면서 살고도, 그것이 행복이고 미덕으로 생각하고 살았다.

문명이 발달하고, 교통이 좋아지고, 하루하루 교통으로 살다 보니 부모는 멀어지고 마음은 강퍅해지고, 오직 자기만이 이 세상을 가지고 살고 누리기를 바라며 살고 있다.

한평생 길고 길다고 생각해도 살고 보면 짧은 인생이다. 하루가 힘들고 고달파도, 총알보다 빠른 시간은 잡을 수도 없다.

그저 인생 가는 길에도 무엇보다도 사랑하고 이해하고 나누다가 인간다운 모습으로 살아가면 좋겠다. 돈은 근심이요, 도적만 들 뿐이니, 먹고 살 만큼만 벌고, 날마다 감사와 사랑이 넘치는 삶으로 살기를 기원해 본다.

삶이 별거 있나

 여기는 충북 괴산 솔베이 캠핑장 아침이다. 100년도 넘은 소나무들이 각자의 생김새로 자태를 뽐내고, 이른 새벽부터 매미는 죽으라고 울어대고, 캠핑장 주인아저씨는 수영장 바닥 청소를 하고, 외로운 나비들 중 한 마리가 홀로 이 꽃, 저 꽃 꽃가지마다 살포시 앉아서 입맞춤을 하고 날아다닌다. 밤이슬에도 아랑곳하지 않고 모기들과 파리들은 나를 졸졸 따라다니면서 성가시게 한다.

 많은 사람들이 텐트를 치고, 각자의 고단한 삶을 떨치려고 힐링하며, 가족과 함께 모여있는 모습이 정겹다. 부지런한 꿀벌들은 꽃송이마다 여러 가지 벌들이 꿀을 찾아 날고 있다.

 도로 주변에는 개망초꽃이 하얗게 피어서 오고 가는 이의 희망의 아침을 노래하네. 지금도 매미는 경쟁이라도 하듯이 노래자랑을 열창하고, 어제 가족 가족마다 놀고 쉬고 먹고 한 자리를 청소한다.

 가끔씩 비도 내리다가, 그치고 해님이 살포시 얼굴을 내밀어서 오늘도 왔노라 빛을 비추어 세상을 밝게 하네. 밤사이 손주가 자다가 고래고래 한

바탕 울다가 깊은 잠을 자고 있다. 알 수 없는 이름 모를 풀들이 이슬을 머금고 금방이라도 눈물이 떨어질 것 같이 맺혀 있고 글을 쓰는 이 순간에도 파리가 자꾸 뽀뽀를 하자고 하네.

우리도 온 가족이 함께 이곳에 휴가를 즐기러 왔다. 개울에 있는 민물 가재를 잡아서 손자, 손녀에게 주니 아이들은 가재를 떡 주무르듯 만진다. 가재는 싫다고 집게발을 쳐들고 덤비는 자세를 취한다. 노는 모습은 귀여우나 가재가 불쌍해서 놓아줄까 하니 아이들이 안 된다고 한다. 가재의 운명은 여기서 끝인가 보다.

푸른 줄기 끝에는 흰 꽃이 피고 벌들과 나비가 함께 이 아침을 즐기는 모습이 사람들은 이런 광경을 어떻게 표현할까. 어제 아침의 좋은 공기를 마음껏 마시고, 이곳을 떠나기 전에 아름다운 추억만 가지고 가야 할 것 같다. 두 딸 같은 며느리들은 아마도 아이들 돌보느라 많이 피곤도 했던가 보다. 지금도 자고 있다.

평화로운 자연의 모습인 것 같다. 밤에 울어대던 손주가 언제 그랬냐는 듯 일어나 밖에 나와 인사를 한다.

삶이 별거 있나. 부대끼며 살고 가끔씩은 울기도 하면서 사는 것이 즐거운 삶이다. 오늘도 이 밤에 평안을 주시고 이 아침을 맞게 하신 하나님 감사합니다.

나는 행복한 사람

24시간 속에 하루가 저물어간다. 마음이 분주한 하루가 소리 없이 해를 저 산 너머로 보내고, 저녁 불빛 속에서 삶에 성취는 무엇인가 생각해본다.

머리가 명석한 사람들 속에서 생존 경쟁이란 비참하다. 힘들게 하루하루 살아가는 나의 삶을 돌아보니, 무식해서 용감했고, 가난해서 악바리가 되어서 살았고, 비록 작은 체구지만 양심껏 살았다.

아무리 애쓰고 노력해도 가진 자를 넘어가지 못하고, 아무리 발버둥쳐도 부를 누리는 자를 이기지 못하는 세상이다. 매일 고단한 몸을 가지고 단한 번 마음 놓고 휴식이란 단어를 생각조차 할 수 없었다. 그래도 나는 기죽지 않고 당당하게 힘차게 살고 있다. 가진 것 없으니 도둑맞을 일도 없고, 또 부끄럽지 않으니 큰소리친다.

때로는 비굴하게 느낄 때도 있었고, 때로는 가난해서 죽고 싶을 정도로 괴로운 시간도 있었다. 그러나 지금까지 마음을 다잡고 강하게 무심하게 살고 돌아보니, 모든 것이 사랑하는 아내와 자식들이 위로와 격려로 지내

왔다.

해가 지는 나이에 감사와 행복을 느끼고 살아가고 있다. 빈손으로 주먹 쥐고 울면서 태어나 힘은 들었지만, 나는 어느 부자도 부럽지 않다. 말없이 곁을 지켜준 아내와 두 아들과 두 예쁜 며느리도 있고, 손자 둘, 손녀 둘, 재롱둥이 아이들이 나를 웃게 하면, 그동안 힘들었던 모든 것이 눈 녹듯이 사라지고, 행복만이 나를 다시 살 수 있는 원동력이 되었다.

젊어서 고생으로 많은 경험을 하게 하고, 사람 사는 험한 세상을 헤쳐 갈 수 있는 능력도 배우고, 모진 감내 속에서 나는 때를 따라 행복의 열매가 주렁주렁 달려 있다.

하루하루가 매일 나도 모르게 감사가 마음에서 우러난다. 온갖 고난 속에 아름다운 하나님의 축복이다. 나를 아는 모든 사람들이 나에게 말한다.

"가장 행복한 사람."

지금 이 순간, 아니, 내가 죽는 순간까지 감사로 즐거운 삶이라고 감사 찬양하리라.

일찍 깨달았더라면 더욱 좋았을 것들

유난히도 잦은 비에 곡식들이 썩어가고, 벼는 쭉정이들이 보이고, 밭작물은 뿌리가 썩고, 배추는 벌레가 끼고, 어느 것 하나 성한 곡식이 없다. 그러나 어찌하겠는가. 하늘이 하는 것을 사람이 인력으로 막을 수 있는 일. 그래도, 조금 부족할지라도 하늘에 계시는 하나님께 감사하자.

이제 조금 있으면 팔월 한가위 추석이다. 한 알의 곡식도 바라보고 있노라면 그동안 한 알의 곡식이 되기 위해서 뜨겁던 태양도 이겨내고 비바람도 견뎌내고 고생 끝에 매달려 있는 곡식이 아니던가.

우리도 자연을 바라보면 참는 것도 인내하는 것도 비바람을 맞는 것도 우리 몫이며 또한 우주의 이치이다. 나무나 식물은 험한 곳이면 험한 대로 옥토면 옥토대로 한 곳에 뿌리를 내리고 자기의 주어진 임무를 충실히 완수하고 있다. 이러한 섭리를 보면서 우리는 보고 배우고 느끼면서 살아가야 한다.

방울토마토는 한 알에 저 태양이 가득 담기고, 아름다운 꽃 한 송이에 비바람과 함께 꿋꿋이 견디어 내고, 추운 겨울을 몸소 이겨내었기에 예쁜 꽃이 피었다.

고로 더불어서 벌이 찾고, 나비가 찾고, 잠자리가 찾아들며, 또한 새들이 깃들어서 노래하고 떠난다. 참 아름다운 풍경이면서도 매혹적인 삶과 모습이다.

지금 생각해보면 나는 철모르게 살았고, 감사하지 못했고, 나만 겪는 고난이라고 얼마나 한숨 쉬고 푸념을 늘어놓았던가.

긴 세월 살면서 손발이 얼어 터지고 등이 벗겨져서 피가 나고, 몸은 약하고, 감기는 수없이 들었다. 덕분에 병원 신세도 많이지고 살아왔다.

이제는 모든 것이 보이기 시작하니, 나는 깨닫는데 참 많은 시간이 흘러갔다. 일찍 깨달았더라면 더욱 좋았을 것인데, 가버린 시간을 되돌릴 수 없고, 한번 가버린 기차는 돌아오지 않는다.

사람 사는 것이 영화처럼 살다가, 영화처럼 죽는다. 오늘 24시간 길다고 생각하지만, 삶은 길지 않다. 돌아보면 1달 아니 1년 벌써 10년이 지나고 50년이 눈 깜짝할 사이에 가버린다. 그동안 나는 바쁘게 살았건만 남은 것은 아무것도 없다. 조용히 생각하니 나를 위해서 애쓰는 아내, 예쁘던 아가씨를 만나서 행복하게 해준다고 했건만 백발의 할머니만 만들어 놓았고 그동안 사느라고 마음고생시킨 것만 생각이 나네.

이제 인생 얼마 남지 않은 시간에 곡식처럼 삶의 인생도 죽음의 시간이 다가오네. 남은 날들을 더 많이 햇볕도 보고, 더 많이 달도 보고, 더 많이 기다리며 더욱 힘을 내서 충실한 곡식처럼 살다가 가리라. 준비하고 모두 정리해서 떠날 때 미련 없이 가리라. 아름답게 살다가 아름답게 가도록 준비하리라.

손과 주먹

주먹을 쥐면 위험한 무기가 되고, 주먹을 펴면 남을 도울 수 있는 손이 되고, 모든 기능을 잘 발휘할 수 있다. 우리는 손을 가지고 모든 것을 표하고, 먹고 살 수 있다.

이처럼 주먹을 쥐면 힘의 표현이고 공격성이 보인다. 주먹은 언제 사용하나 민주주의 근간을 흔드는 민노총의 귀족(노조)을 나타낸다. 그리고 현실은 위화감이 든다.

때로는 감정을 억누르지 못할 때 주먹을 쥐고 복수의 이빨을 간다. 그러나 손을 펴면 부드러운 이미지부터 손을 통하여 많고 많은 기능들이 발견된다.

첫째 손으로 음식을 만들어 먹을 수 있기에 행복하고, 손으로 농사도 지을 수 있으며, 추수도 하여 가족의 생계도 누린다. 그림을 그리고 상상의 날개를 펴서 보는 이의 마음도 행복해진다.

또한 손은 여러 가지 기술을 선보이며 또 물건을 만들어서 많은 이들에게 필요한 것을 제공하기도 한다. 부모님께서 물려주신 두 손을 모아 기도하는 손을 만들고, 두 손을 함께 잡고 힘든 어려움도 헤쳐 나갈 수도 있다.

무엇보다도 두 손을 베푸는 곳에 아름답게 사용하면 도움을 주는 사람이 된다. 기쁘고 베푸는 손을 가진 자는 더욱 행복함을 누리면서 살아간다.

나는 배움의 부족함으로 늘 몸과 손이 고달픈 삶을 살아왔다. 하지만 지금 글을 쓸 수 있는 손이 있어서 행복하고 손을 가지고 많은 재능을 가지고 살고 있다. 고칠 수 있는 손, 만들 수 있는 손, 다정하게 다듬고 인자하게 어루만질 수 있는 손을 주신 하나님께 감사하다. 비록 내 손은 예쁘지는 않지만 그렇다고 못난 손도 아니다. 그저 평범한 손이지만 행복을 누리면서 산다. 또한 손녀 손자들이 할아버지 손에는 못 고치는 것이 없다고 생각하고 고장이나 부서진 장난감을 고쳐달라고 한다.

이 얼마나 행복한 기술을 가진 손인가! 또한 아내가 늘 얘기를 한다. 두 손으로 칼을 갈아주고, 가위를 갈아주고, 전기도 고치고, 교환도 해주고, 집안의 모든 문제들을 당신의 두 손을 통하여 해결하는 만능 손이라고….

나는 두 손이 없다면 행복할 수 있을까. 행복하지 않다고 늘 느끼고 원망 속에 살 것 같다. 그러나 두 손을 가지고 두 손을 모으면 평안이 생기고, 안정감이 생기고, 두 손을 잘 사용하면 금쪽같은 손이 된다.

주먹을 휘둘러서 불행해지는 것을 자주 보았다. 주먹은 힘이 되기도 한다. 폭력을 나타내는 위험한 도구가 되기도 한다. 하지만 두 손을 맞잡고 행복하게 살고 베푸는 일을 많이 하라고 하나님은 두 손을 주셨다.

전쟁에서 주먹은 승리를 이룰 수 있고 주먹은 무기가 되기도 한다. 그러나 주먹을 정의 사도로 사용하고 폭력으로 사용해서는 안 된다. 주먹을 쥐고 남에게 위협감을 주지 말자. 그저 주먹은 단결할 때, 내가 힘들 때에 주먹을 불끈 쥐고 고민을 극복할 때만 사용하고, 더 이상은 주먹을 쓰지 말자.

두 손을 펴서 이웃을 돌보는 귀한 손길이 되면 할 것이다. 내 손안에 쥐어진 것을, 손을 펴서 온정을 이루고 더불어 사는 도움을 주는 아름답고 귀한 손, 보배로운 귀한 손, 향기로운 손으로 오늘도 용기를 가지고 먼저 내 손을 내밀어 상대를 친구로 삼고 상대를 평안하게 만드는 귀한 아름다운 손으로 사용해 보자.

한 폭의 그림 같은 인생

바람이 휘몰아치는 초겨울. 비바람에 낙엽이 이리저리 떨어져서 갈 곳을 모르고 바람에 날려서 이리저리 날아다닌다. 어쩌다 쓸모없는 길거리 쓰레기가 되어서 청소하는 청소부를 힘들게까지 하는구나.

봄에 새싹을 돋을 때에는 모두가 반갑게 보아주고 예쁜 새싹이라고 부러워하고 칭찬도 하였는데, 그동안 나뭇잎의 삶이 한순간에 낙엽이 되어서 갈 길을 잃고 방황하는 신세가 되었는가.

여름에 태양에게 겁 없이 푸르르게 자신만만하더니, 가는 세월 앞에는 그 푸르름도 어찌하지 못하는 낙엽이 되었던가.

우리도 어린 시절 모두가 예쁘고 귀엽다고 알고 자라서 세상의 물결에 이리저리 살다 보니 때 묻고 상처받고 가는 세월 가버리니 남은 것은 백발의 노인으로 낙엽처럼 쓸모없는 오히려 자식들의 짐만 되는 노인이 돼 버렸네.

낙엽도 한때는 떨어질 줄 모르고 영원히 나무에 붙어서 푸르게 살 줄로 알고 무더운 여름에도 자신만만하지 않았을까? 이렇게 인간의 삶도 천년 만년 살 것처럼 아등바등 살다가 좋은 세상 즐길 줄 모르고 사랑할 줄 모르고 나누지도 못하고 이름 없는 낙엽이 되어서 쓸모없는 짐만 되지는 않을까.

비바람에 어디로 날아갈까. 이리저리 뒹구는데 짓궂은 비가 더없이 처량하게 하고 설상가상 차들이 달리면서 낙엽을 산산조각 내버리네.

나의 삶에도 푸르름이 있었지만 감사할 줄 몰랐고 나의 삶에 사랑할 수 있는 시간이 주어졌지만 사랑할 기회를 놓치고 가버렸네. 삶에는 부귀영화를 누리겠다고 시간을 모르고 살아가도 남은 것은 가버린 세월뿐이다.

인생은 그 시간을 있는 곳에서 즐기는 삶으로 살고 가을의 때에 낙엽 같은 쓸모없는 인생은 되지 말자.

비록 노을이 내 앞에 드리우더라도 한 폭의 그림처럼 노을이 되어서 구름과 함께 나그네 여행길을 후회 없이 진정한 삶을 살았노라고 할 수 있도록 최선을 다하여 쓸모 있는 삶이 되자.

낙엽처럼 갈 곳을 잃지 말고 보석처럼 마지막에 아름다운 황혼의 그림과 같은 길을 준비하여 가자.

인간은 무엇을 위해 사는가

구름이 소리 없이 흐르고 바람은 어디서 오고 어디로 가는지 알 수가 없다. 어제 떴던 해는 오늘 다시 뜨지 않고, 분명히 오늘은 새로운 해가 떠오른다.

삶의 변화는 늘 새로운 변화가 일어나고 우리는 무슨 생각을 하고 무엇을 찾아가는지 각자가 자기 분야에서 분주하게 살아간다. 배워도 알 수 없고, 깨닫고도 실천하지 못하는 삶이 우리의 삶이다.

바람이 어디에서 오는지 알 수 없듯이 오늘 우리 삶도 흘러서 어디로 갈까? 모든 것이 내가 찾아가야 하고, 내가 무엇을 위해 사는 것인지 분별하고, 금쪽같은 시간을 잘 사용하고 보람 있는 하루를 엮어가야 할 것이다.

생명은 고귀하고 인생은 두 번 오지 않는다. 한평생 사는 날이 길어 보여도 시간을 바쁘게 살다 보면 헛되이 시간을 허비할 때가 많다.

하나님은 우리에게 행복하라고 에덴동산을 주시고 가정을 주시고 생명의 주인이신 여호와를 경외하라고 하셨다. 내가 잘나서 행복한 것이 아니라 모든 것은 주시는 이도 여호와시오, 거두시는 이도 여호와시니 우리는 오직 감사함으로 즐거운 하루를 내가 만들어가는 삶을 가야 한다.

헛된 욕심에서 벗어나 모든 것을 여호와께 맡기고 사는 동안 미래를 의지하고 개척하고 노력해서 깨끗하고 아름다운 삶을 살아가 보자.

세상 일이 참뜻 같지 않다

　세상 일이 참뜻 같지 않다. 때마다 일희일비하기는 피곤하고 무심한 채 넘기자니 가슴에 남는 것이 있다.

　비는 잠깐 개었다, 금세 다시 오고, 비 오다가 다시 개니, 하늘 도리 이러한데 세상의 인정이야 오죽하랴. 칭찬하다가 어느새 도로 나를 비방하고 남의 이름에 명예를 더럽히지 마라. 꽃이 피고 지는 것이 봄과 무슨 상관이며 구름이 가고 오는 것은 산은 아니 다툰다네.

　세상 모든 사람들아! 모름지기 기억하라.

　평생을 얻는데도 즐거움은 없다는 것을, 세상인심을 가늠하기 어렵기가 종잡을 수 없는 날씨보다 더하다. 나를 칭찬하던 사람들이 돌아서면 더 모질다. 거기에 취해 내로라하던 시간이 참담하다. 혼자 고상한 척을 다하더니 알고 보니 탐욕의 덩어리였다. 이런 일을 겪을 때마다 세상에 대한 환멸만 늘어간다. 하지만 이런 것은 모두 내가 바라고 기대한 것이 있어서가 아니다.

꽃이 늦게 피거나 일찍 시든다고 봄이 안달을 하던가? 구름이 오고 가는 것이 산이 성을 내던가? 이래야만 하고, 저래서 안 되는 잣대를 자꾸 들이대니 삶이 피곤해진다. 날씨 따라 마음이 들쭉날쭉하고, 상황을 두고 기분이 널을 뛰면서 정작 큰일이 생겼을 때 감당이 안 된다. 이러면서 기쁘고 좋은 일만 있기를 바라나, 그런 것은 세상 어디에도 없다.

그저 비 오면 비를 맞고, 해 뜨면 웃고, 바람 불면 시원함에 젖어 살고, 눈 오면 감상하고, 돌고 돌아 봄이 오면 꽃을 기대하고….

삶의 여정은 반복의 연속일지라도 1초의 시간, 아니 1분의 시간도 아끼고 감사하는 하루를 견디어 보자. 보이지 않는 희망의 꽃을 찾아서….

얼마나 가져야 행복할까?

여름밤에 사람들은 산책이며 운동한다고 너도 나도 길에서 마주치며 인사를 하곤 한다. 그 옛날에는 지금쯤 시골 마당에 풀을 베어다가 모기 불을 놓고 연기 속에 앉아서 가족들이 칼국수 저녁을 먹곤 하였다.

모기는 사람 주변에서 호시탐탐 달려들고 있고, 마구간에는 어미소와 송아지가 꼬리를 흔들며 모기를 쫓는다. 마당 한구석에는 야행성 쥐가 들락날락하고, 시골 부뚜막에는 쥐가 먹을 것을 노린다.

사람들의 위생은 말로 표현할 수 없도록 열악하고, 아이들은 두 콧구멍에서 코를 들이마시고 나오면 또 들이마시며 병원은 없는 것으로 알고 자란다. 얼굴에는 코가 발려서 코로 살갗이 다 터지고 손등은 비누가 없던 시절이라 갈라지고 피 나는 것은 예사다.

지금 생각하면 추억이지만 그 시절은 당연하게 받아들이며 자랐다. 모든 것이 세월의 변천사로 발전된 지금 우리는 만족할까? 아니다. 세상은 고속 시대라고 하면서 옆 돌아볼 시간도 없다. 다들 죽는 소리다. 얼마나 가져야 행복할까?

수 없이 많은 어른들이 세상 떠날 때 인생 아무것도 아니라고 유언처럼 얘기하시고 돌아가시는 모습을 보면서도 우리는 깨닫지 못하고 욕심을 가득 채우려고 한다. 가장 머리가 명석하고 똑똑한 사람으로 살면서도 미련한 것이 사람이다. 내일 죽을지 알지 못하면서도 지푸라기 하나도 베풀지 못하고 살다가 가는 인생이 부지기수이다.

　철들고 후회하기 전에 선인들은 말한다. 사랑하라고 베풀어라고 하여도 아까워서 못 나누니 참 미련한 것이 사람이다. 노래 가사처럼 난 바보처럼 살았다고 후회하지 말고 진정으로 나누고 함께 하면서 살아가자.

우리도 꽃처럼

　나른한 봄날 아지랑이가 살짝 보이며 봄의 향수를 느끼는 시간. 새싹들은 부끄러운 모습으로 얼굴을 내밀며, 오고 가는 이의 마음을 읽고 있는 듯하다. 사람들은 저마다 꿈을 가지고 삶의 자욱자욱마다 한 걸음씩 전진하고, 앞으로 나아갈 때 작든 크든 꿈의 현실에 도달하고 있다. 현실은 힘들고, 고달프고, 죽고 싶을 때도 있으리라. 그러나 시간이 지나고 나면 먼 훗날이 되어서 회상해 보면 아무것도 아니었고 견딜 수 있었던 아주 작은 것이었다는 것을 깨닫게 된다.

　초식 동물은 태어나자마자 30분 정도 지나면 걸을 수 있고 뛰기도 한다, 아마도 좋은 세상에 태어나 빛을 보았기에 즐겁고 기쁠 것이다. 아직 세상의 무서움과 두려움을 모르고 있기 때문일 것이다.

　사람은 태어나면 얼굴도 못 들고, 눈도 못 뜨지만, 무엇을 잡으려고 손을 움켜쥔다. 눈물과 고난과 슬픔을 가지고 살 것을 알고 있는 듯하다. 얼굴도 못 들고 태어났으나, 자라면서 고개를 들고 목이 곧아져서 교만하게 되고, 눈은 세상을 아름답게 바라보라고 했지만 남을 미워하는 눈, 시기하고 경쟁하는 눈으로 바뀌게 되는 모습을 보면서, 중년을 지나 노년이 되면

다 부질없다는 것을 알게 된다.

악한 사람도 죽음 앞에서는 후회하고, 사랑하지 못했던 것을 뉘우치고, 베풀고 살았더라면 하면서 눈물로 세상을 떠나게 된다. 태어나서 울었고, 살면서 울었고, 즐거워서 울었고, 임종하면서 용서하지 못해서, 사랑하지 못해서, 가슴의 심장이 꺼지면서 미안하다고 용서해달라고 행복하게 살아달라고 한다.

인생은 후회하면서 살고 후회하면서 가는 것이다.

꽃은 봄의 전령처럼 우리도 예쁘고 화려하게 꽃처럼 웃고 살고 꽃처럼 향기도 보내고 보는 이, 가는 이 즐겁게 해보자.

저녁 노을처럼 살자

해가 지는 노을은 하루의 고단함을 바라보면서, 찬란하고도 황홀한 기분을 만끽할 수 있다, 특히 가을 단풍이 노을에 비추어질 때 이루 말할 수 없이 아름답다. 해는 아침에 동해 바다를 뚫고 용솟음치며, 바다의 수 없이 많은 안개를 밀어버리고, 밤사이 고요한 지구를 밝게 비추어서, 자연에 고요함을 먼저 깨운다. 그리고 사람들의 삶을 감사하게 살도록 무한한 빛을 주시는 태양이 된다.

오늘 사는 우리들은 구정, 신정, 설에만 태양을 바라보며 건강을 비는 사람, 물질(돈)을 구하는 사람, 자녀들이 잘되기를 비는 사람, 여러 가지 소원을 비는 모습을 매년 초에 볼 수 있다.

인간은 작은 두뇌를 갖고 있어서, 눈에 보이는 것만 있는 줄 안다. 대부분 사람들이 말이다, 그러나 우주 만물을 지으신 하나님이 계시고, 눈에 보이지 않는 공기가 있으며, 우주 속에 볼 수 없는 만물을 다스리고 계신다.

태양은 지구를 비추기도 하지만 지구를 태울 수도 있다. 그런 태양이 뜨겁지도 차갑지도 또 지구를 태우지 않고, 보는 이의 마음속에 많은 그리움을 선사하면서, 내일을 꿈꾸라고 저 산 너머에 노을로 사라져 간다.

사람들은 세상 모르고 태어나서 저 태양을 보면서 많은 순결한 꿈을 가지고, 각자의 삶에 저 나름대로 기질과 노력과 생각과 욕심을 품고 하루하루를 살아가고 있다.

살면서 얼마나 감사를 느낄 수 있고, 감사하고 있는가? 철없던 시절에는 몰라서 감사하지 못했고, 청년 시절에는 내가 잘난 양하면서 으스대느라고 감사하지 못했고, 중년 시절에는 물질(돈)을 가지겠노라고 동분서주하다 보니 못했고, 해가 기우는 노년의 길목에는 자녀들 걱정에 감사할 시간이 없었다.

우리는 길다면 길고 짧다면 짧은 인생길에, 노을이 지면 인생무상함 앞에 서서 감사를 느낀다. 우리는 먼저 나이를 먹고, 모든 것을 내려놓을 때가 되면, 세상이 보이기 시작하고, 부모님의 은혜가 보이기 시작하고, 자녀들이 잘 자라줘서 감사함을 느끼게 된다.

이제는 무엇인가 한번 왔다가 가는 세상, 아름다운 저녁 노을처럼 아름답게 살다가, 아름답게 떠나는 삶을 살고 가야 하지 않을까?

천금보다도 귀한 생명을 주신 이에게 돌아가는 순간까지, 남아있는 노을처럼 예쁘고 아름다운 모습으로, 다시 오지 않는 저 하늘나라를 떠나는 인생들이 되었으면 한다.

노을은 고단한 삶을 정리하는 것이며 그동안 우리의 삶을 돌아 보는 시간이며 또한 삶을 결산하는 노을이 되는 것이다. 저 푸르던 나뭇잎도 가을이 되면, 먼저 자연에 감사하는 모습으로 고운 옷을 갈아입고, 바람과 함께 자연의 섭리에 쌓여, 마지막 남은 아름다운 모습으로, 잎으로서의 삶을 마감한다.

이처럼, 좋은 곳이던, 나쁜 곳이던, 나무들은 있는 그 자리에서 비와 바람을 맞고 살지만, 바람 부는 대로, 빛이 비치는 대로, 비를 주시는 이에게 순응하는 모습을 보면, 우리들에게 많은 교훈을 준다.

힘들고 고달프고 말없이 해결할 수 없었던 삶들도, 세월이 가고 인생의 노을이 물들고 단풍이 물들면 감사하고 기쁘고 즐기는 인생의 저녁노을이 되어보자.

시간은 금이다. 나에게 주어진 시간을 1분 1초도 헛되지 않게 살기를, 보람 있게 살아보기를, 무엇보다 많은 감사하는 즐거운 모습으로 변해가는 삶을 살아보자. 계곡의 물들은 맑고, 깨끗하고, 순수하나, 흐르고 또 흘러서 강물이 되면은 썩고, 병들고, 오염이 되곤 한다. 더러운 물도 바다로 흐르면 소금물이 되어서 정화되고 깨끗해진다.

우리들의 삶은 산골 물처럼 살 때도 깨끗하려고 했으나, 세월의 흐름에 더러워지고, 추해지고, 욕심을 버리지 못하고 살았으나, 바다로 들어갈 때는 깨끗해지는 것처럼, 노을의 나이에 들어서면 먼저 정화되기를, 바다에 가기 전에 깨끗해질 준비를 해보자.

봄의 길목에서 쑥 냄새를 맡고, 봄의 전령 속에서 우리들의 삶을 살아보자. 흐르는 대로, 가는 대로, 흔들리는 데로, 바람이 불 때는 바람에 흔들려야 부러지지 않고, 비가 올 때 비 오는 대로 비를 맞고 견디고, 흐르는 세월을 다시 돌릴 수 없듯이 세월에 감사하자.

욕심을 버리고, 건강할 때 남에게 도움을 줄 수 있는 삶을 살고, 아름답게 지는 노을처럼 꿈을 가지되, 감사의 꿈을, 베푸는 꿈을 후회 없는 꿈을, 실천하는 꿈을 펼쳐보자.

오늘도 나는 감사했는가? 오늘도 베풀었는가? 오늘도 헛되지 않는 삶을 살았는가? 정리하는 하루하루 결산하는 저녁노을이 되어보자. 더 많은 부를 누리는 욕심을 버리고, 미워했던 마음도 비우고, 가족과 함께 감사한 저녁을 먹고, 행복한 꿈을 꾸는 이 밤이 되길 간절히 바라는 마음이다. 늘 감사하면서….

날마다 하루를 돌아본다

사람은 울면서 빛을 보고 태어났을지라도, 삶에는 항상 기쁨이 있고, 또한 사랑이 있고, 또 희열의 맛도 있는 법. 두려움도 이겨내고, 험한 산도 넘고, 강 같은 바다도 건너가면, 분명히 목적지가 보이고, 열매가 보이고, 성공이 내 앞에 와 있다.

때로는 벌레만도 못한 것이 인간이지만, 세상을 움직이는 것도 사람이고, 도전하는 것도 사람이다.

오늘도 나는 자격 없이, 세월의 연륜으로 어른이 되었건만, 돌아보면 후회가 많이 남고, 돌아보면 흘러간 세월이 아깝고, 또한 다가오는 시간도 두렵다. 하루를 잘 살고 가야 하고 즐겁게 잘 정리해서, 미래에 작은 행복의 열매가 되어야 한다.

큰 명예는 바라지 않더라도, 부끄럽지 않은 삶을 살자. 나는 한 포기 풀잎처럼 살고 있는가? 오늘 삶을 반성하니 부끄럽다. 한 잎의 꽃잎이 되어서, 많은 사람들에게 겸손으로 살았는지, 정의로운 하루가 되었는지, 사람다운 모습으로 오늘을 살았는지, 돌아보면 미안하고 부끄럽다.

인간의 삶이 다양하게 흘러가니 나도 버릴 때를 구분하고, 찾을 때 쓰임 받고, 삶의 성공자가 되도록 살기로 이 밤에 다시 다짐해 본다.

사랑은 무엇일까?

유행가처럼, 사랑이란 단어와 가사를 수없이 보고 듣고 살아가고 있다. 과연 사랑이란 무엇인가? 일방적으로 주는 것이 사랑인가? 아니다. 사랑은 주는 것이 아니라, 품어주고 감싸주는 것이 진정한 사랑이다. 가슴은 사랑을 품고 살지만, 사랑을 실천하기란 어렵다. 희생을 동반하면서 한없이 퍼주어도, 더욱 많이 생산되는 것이 진정한 사랑이다. 사랑은 처음과 끝이 한결같아야 한다.

사랑은 깨어지는 질그릇처럼 소리 없이 조심스럽게 하여야 하며, 사랑은 상처를 아물게 하기도 한다. 사랑을 받는 이보다 주는 이가 더 행복하다. 많은 사람들이 사랑, 사랑이라고 하지만 잠시 사랑하다 식어지는 것을 자주 보게 된다.

진정한 사랑은 미소와 웃음 속에서 상대를 행복하게 편안하게 해주는 것이다. 사랑하면 만병의 근원인 마음의 병도 낫게 해준다. 누구나 철없던 짝사랑은 이룰 수 없고, 누구나 일방적인 사랑은 맺을 수 없다. 사랑은 눈빛에서 나오고, 사랑은 영원한 꽃이 피고, 사랑은 사람이 살아가면서 없어서는 안 되는 명약 중에 명약이다. 이웃사랑, 형제 사랑, 친구 사랑, 연인

사랑, 부모님 사랑 등등 무수히 많다.

그러나 끊을 수 없는 사랑은 부모님의 사랑이다. 그 어찌 사랑을 저울로 달 수 있으며, 돈으로 계산할 수 있으랴? 꽃 피는 봄에는, 벌, 나비, 사랑, 누가 표현했든가?

우리는 계절이 바뀔 때 사랑을 그리워하기도 하고, 사랑을 찾기도 하고, 사랑을 일궈서 베풀기도 한다. 돈이 있어도 사랑을 살 수 없고, 사랑은 오직 사랑으로만 이룰 수 있다. 기이하고도 놀라운 생명의 힘이다. 깨어진 사랑을 보고 있으면 가슴이 아프고, 잘 맺어진 사랑을 보면 보는 이의 마음이 정말 행복하기도 하다. 많이 배우고, 많이 가지고, 많은 재능이 있어도, 사랑이 없으면 소리 나는 꽹과리와 같다. 시끄럽고 실속이 없다.

진정한 사랑은 변하지 말아야 하고, 진정한 사랑은 계산하지 말아야 하고, 진정한 사랑은 신뢰를 버리지 말아야 하고, 진정한 사랑의 눈으로 바라보면서 상대를 존중해 주어야 한다. 비난하지 말고, 얕보지 말고, 상대의 약점을 들추지 말 것이며, 늘 한결같이 흐르는 물처럼 자연스럽게 사랑하는 것이다.

저수지의 물을 양수기로 물을 퍼올리면 힘도 들지만, 모터가 열을 받는다. 이처럼 저수지 같은 사랑도 물길 따라 흐르는 것처럼, 자연스럽고 또 부드럽게, 내가 먼저 행복하게 사랑을 노래하는 것처럼, 나누고, 전하고, 행동하고, 사랑을 표현해야 할 것이다.

우리가 내가 이 봄에 꽃을 피우는 아름다운 사랑을 향기롭게 우아하게 진한 사랑을 뜨겁게 해보자.

인생은 공평하다

산은 산의 모습으로 그대로 있고, 사람의 마음은 눈만 뜨면 변한다. 어제는 없던 욕심이 생기고, 어제의 사랑은 오늘 식어버리고, 갈팡질팡하는 마음이 어디에서 오늘 것일까?

태어나면서 두 주먹 불끈 쥐고, 무엇을 잡겠다고 울부짖으면서 나왔던가? 그래서 사람은 자연스레 욕심이 가득 차고, 시샘도 하고, 미워하고, 분노하고, 가슴에 멍이 들도록 울부짖고 있는가?

남들은 다 잘 살고, 남들은 다 부유하고, 남들은 다 성공해 보여도, 그들은 이미 울부짖었고, 피나는 노력을 했었고, 실패도 여러 번 했기에 오늘은 성공한 자리에 있는 것이다. 남들 놀 때 책 한 권 더 읽었고, 남들 편히 잠잘 때 새벽같이 일어나 더 연습하고, 더 실습하고, 더 앞서기를 10배 아니 100배 노력했다. 남들 걸어갈 때 숨이 차도록 뛰었고, 남들 여행 갈 때 작업복 입고 일했고, 남들은 비웃을 때 그들은 아랑곳하지 않고 꿋꿋이 달려갔다.

지금도 강은 그대로이고, 흐르는 냇가도 그대로다. 다만 높은 산이 낮은 산을 바라보며, 어제나 오늘이나 변함없이, 그 자리에 서서 아침이면 손흔들고, 저녁이면 고요하게 정막을 잠재운다,

　노력이 중요하다, 그러나 욕심은 버려라, 더 가졌으면 가진 만큼 나누고, 노력은 건강이 허용하는 한 부지런히 노력하라. 세상은 불공평하다고 다들 말하지만, 영원한 하늘과 땅은 공평하게 24시간 하루를 주고, 같은 공기, 같은 태양을 준다. 다만 내가 어디에 섰느냐가 중요하다. 썩은 곳에 있으면 악취만 진동한다. 사랑이 넘치고 향기로운 곳에 있으면 사는 것이 천국이다. 빈손으로 왔다가 빈손으로 가는 인생, 찡그리지 말고 웃고 향기로운 모습으로 살아가기를 노력하고 성공하기를 생각해본다.

내가 궁금한 것

　나는 궁금한 것이 많다. 우주에 있는 해와 달이 육지에 있는 땅이 허공에 떠 있다는 자체가 신기하다 아무리 무중력에 떠 있다고 해도 땅의 무게가 얼마일까?

　어찌하여 저 태양은 그 자리에 있는데 땅과 달, 금성, 목성은 태양을 향해서 돌고 있는 것일까? 사람은 돌고 있는 땅 위에 넘어지지 않는 이유는 무엇일까? 모든 사람은 왜 남녀를 만들었을까? 아마도 서로 돕고 서로 사랑하라고 그렇게 생겼을까? 아니면 수억 년 전부터 사람은 살고 죽고 지금까지 내려오고 있다 무엇을 하려고 수억 년을 살게 할까?

　성경은 말세라고 하는데, 우리가 죽고 수천 년이 흘러가도 말세일까? 사람의 본분을 망각하고, 지나쳐도 너무 지나쳐서, 서로 죽이고, 약탈하고, 전쟁하는 것이 말세라고 말들 한다. 그러나 시간은 영원히 앞으로만 간다. 시간은 절대 후퇴가 없다. 영원한 진리이자, 정확하다. 시간은 변하지 않는다. 다만 시계는 울면서 돌고 있다. 정오라고 울고, 아침 5시라고 울고, 시계는 사람들의 일상을 지켜보고, 또한 앞으로 시간을 가지라고 말한다.

지금은 러시아와 우크라이나가 전쟁 중이다, 이로 인해 전 세계 인구가 다들 힘들게 살아가고 있다. 왜 이런 시간들은 빨리 가지 않고 천천히 가고, 전쟁은 끝이 보이지 않는가? 세계가 바라보기만 할 뿐 전쟁은 멈출 기미가 보이지 않는다. 많은 살상이 있고, 많은 전쟁 부상자가 넘치고, 때를 잘못 만난 어린 세대들이 목숨을 잃고 있다. 참으로 안타깝다. 하루빨리 시간이 가든지 멈추든지 전쟁이 끝났으면 한다.

어둡고 길 터널도 끝이 있다

어둡고 긴 터널을 지나고 있다. 어렵고 힘들다. 경제적으로 마음이 어둡고, 답답한 터널이다. 겨울이 다가와서 더욱 춥고, 따뜻한 난로가 필요한 시기이다. 코로나19로 사람들의 마음의 고통은 말로 표현할 수가 없도록 시리고, 춥고, 배가 고프다. 어디에 따뜻한 햇볕과 사랑의 온기가 넘치는 곳이 있을까? 모두가 기다리고 있다

3587

이 숫자는 자동차 번호이다. 왜 나는 3587을 쓰고 있는가? 새벽 6시 40분. 어둡고 깜깜한 새벽에 어디로 달려가는 차일까? 무엇이 그리고 바쁠까? 왜 그리도 급할까? 1, 2, 3차로를 경쟁하듯이 깜박이도 켜지 않고 요리조리 삭삭 잘도 빠지면서 달리고 있다. 그러나 결과는 규정 속도 지키는 차나, 위반하면서 달리는 3587이나 결과는 같다. 사람이 3587처럼 위반하고, 속도를 내어도, 목적지는 신호가 잡아주듯이, 결국 비슷하게 가게 된다. 시간이 가고, 시간이 흘러야 봄은 온다.

언젠가는 코로나19도 갈 것이라 나는 믿는다. 우리 민족은 일제 36년의 기다림 속에 강인하게 기다렸기에, 민들레의 꽃을 피울 수가 있었고,

해방의 기쁨도 경험했다. 우리 어머니는 나를 만날 날을 기다리며 10달을 뱃속에 있는 나를 기다리고 기다렸다. 그리고 산고의 고통 속에 기쁨으로 나를 안고 길러 주셨다. 우리 모두 코로나19가 언제 끝날지 아무도 알 수 없는 세월을 살고 있지만, 조금 더 천천히 속도를 줄이고, 산천도 바라보고, 이웃도 보면서 가보자.

희망은 산 너머에 꽃을 피우고, 우리를 기다리고 있을 것이다. 힘든 오르막 언제 넘을까 생각하니 앞이 깜깜하다. 그러나 어둠을 밝히는 손전등을 들고 천천히 한 발짝씩 오르면 정상의 고지에서 기쁨을 누리리라. 정치가 어떻고, 코로나가 무섭고, 나라가 어수선하다. 마음 기댈 곳 없어도, 우리는 사랑하는 사람을 기다리듯이, 조금 더 참고 기다리고 인내해 보자. 고통 뒤에는 분명히 아름다운 꽃이 피고, 아름다운 꽃은 우리가 바라는 귀한 열매를 주리라.

자연의 법칙은 반칙이 없고, 자연은 평등하게 우리에게 선물을 주고 있다. 추락의 끝은 낭떠러지 같아도, 떨어져 밑에 있으면 마음의 용기가 생기고, 다시 오르면 되지 않는가? 우리 모두 저 높은 정상을 향해 한 발짝씩 옮겨 보자. 숨을 고르고, 마음을 비우고, 준비운동을 하고, 저 높은 곳에 있는 희망을 찾아 나서보자.

이제 추운 겨울을 맞고 있지만 성탄의 나눔을 나누고, 희망의 새해 준비를 충실히 하여, 어둡고 긴 터널을 안전하게 달려보자. 따뜻한 커피 한잔 마시고, 따뜻한 마음 가지고 모두가 바라는 행복을 찾아 떠나자.

최고의 삶

푹푹 찌는 토요일 아침 벌써 땀이 등줄기를 타고 흘러내린다. 아침에는 모두 늦잠을 자고 있는 것 같다. 아침 도로에는 차가 없고, 아파트 주차장에는 차가 그대로 서 있다. 한 주간 피로에 쌓여서 일어나기 싫어지는가 보다.

아침 공기는 매우 맑고 좋다. 나는 늘 일찍 일어나 직장을 다니고 있다. 지금은 아파트 경비 일을 하고 있는데, 경비 일도 6시에 교대를 하니 일찍 일어나서 출근해야 한다. 아침 찬양을 틀어놓고, 모닝 커피를 마시면서, 오늘도 삶의 현장에서 내가 먼저 행복해야 한다. 주변의 동료들도 불러서 커피 대접도 했다. 마음이 한결 편안하고 행복한 아침이다.

우리 가족은 큰아들 가정이 손자 2명이다, 한창 말썽꾸러기 4살과 오늘 첫돌을 맞은 손주들 2명이 있다. 제일 예쁜 큰 며느리가 육아휴직을 하고 매일 손주들 돌보느라 녹초가 된다. 힘들다고 하지만, 그래도 엄마이기에 매일매일 마술 같은 힘을 발휘하여 잘 견디고 있다. 감히 엄마가 아니면 할 수 없다. 다시 한번 여자는 약하나 엄마의 위대함을 느낀다. 사랑할 수밖에 없다. 고맙고, 감사하다. 사랑하고, 늘 예쁘다.

작은아들은 정비 일을 하는데 늘 웃는 모습이 예쁘고 든든하다. 아들은 마음이 여리고 착하다. 둘째 며느리는 애교가 넘치고, 늘 부드러운 모습이 항상 예쁘고 사랑스럽다. 가진 것 부족해도 많이 가진 것처럼 행복하게 사는 모습이 예쁘다.

　　둘째 아들 가정에서 태어난 손녀는, 우리 가정에 축복의 복을 안고 태어났다. 시온의 영광이란 뜻으로 이름을 엄시온이라고 지었다. 아무쪼록 잘 자라고 있고 깜찍하고 예쁘다. 나는 딸을 키우지 못해서 그런지 손녀가 하는 행동들이 정말 귀엽고, 사랑스럽다. 늘 보고 싶다. 이 시간 행복하다는 생각이 정말 많이 든다.

　　하나님께서 나에게 노년에 복의 복을 주시어서 걱정 근심 없이 하루하루가 감사와 은혜뿐이다. 지금까지 근심과 고난 중에 살아왔지만, 지금 돌아보니 그저 추억이다. 시간은 소리가 없다. 또한 가는 길도 없다. 시간은 냄새도 없고. 시간은 그저 보이지 않는 전기처럼 흐르고 있다.

　　땅 위에서 살아가고 살 동안 불평보다 감사가 먼저이고, 불평보다는 행복의 열매를 기다리며 충실히 사는 길이 인생의 최고의 삶이다. 그저 있는 옷 깨끗하게 입고, 마음도 깨끗하게 하여서, 내 주위에 있는 모든 분들에게 희망을 주고, 행복한 미소를 전하면서 살고 함께 더불어 가면 된다.

　　어제저녁 늦게까지 매미는 열창을 하고, 그래도 이 아침에도 목이 터져라 열창과 합창을 한다. 이제는 말복이 되었으니 매미도 서서히 계절을 따라 떠나고 갈 때가 되어가네.

　　자연을 보면서 순리대로 살고, 순리에 적응을 잘해서, 남은 시간도 충실하게 살기를 기원해본다.

가끔씩 지나가는 버스와 인도 위를 자전거를 타고 가는 모습이 평화롭게 느껴지네. 오늘도 같은 삶이 되더라도 감사로 시작했으니, 은혜로 퇴근해보길 마음속에 다짐해 본다. 찬양이 흐르는 아침에.

가난

가난은 부끄러운 것이 아니다
가난은 노력할 수 있는 힘이다
가난은 죄가 아니다
가난은 행복을 누릴 수 있는 기회다
가난은 극복할 수 있는 인내다
가난은 무한한 창조를 이루어낸다
가난은 용기를 가지고 전진한다
가난은 일어설 수 있는 자산이다
가난은 역경을 이겨낸다
가난은 성공을 이룰 수 있다
가난은 모든 것을 덮는다
가난은 무한한 것을 찾아 이룬다
가난과 함께 모든 승리를 이룬다

계절은 그냥 있는 것이 아니다

　가을은 수없이 많은 열매들이 갖가지 모양으로 우리 마음을 부풀게 한다. 황금 같은 벼들은 고개를 숙이고 '추수하세요.' 하면서 주인을 기다리는 들녘이 푸근함을 주고, 사과는 붉게 물들어서 부끄러운 듯이 얼굴을 내밀고 있다.

　산에 도토리는 앓는 이 빠지듯이 땅으로 툭툭 떨어지고, 다람쥐 신나서 양볼 가득 입에 물고서 등산객을 바라보는 모습이 천연덕스럽다. 나뭇잎 찬바람에 단풍이 물들기 시작하고 하늘은 높고 푸르게 맑으니 더없이 행복하다. 자전거를 타고서 강바람을 맞으며 씽씽 가는 모습도 가을의 정취가 묻어난다.

　우리는 반복되는 계절을 맞이하면서 무더웠던 여름이 빨리 가기를 되뇔 때가 자주 있었다. 그러나 지나고 보니 그 뜨거웠던 여름이 있었기에 풍성한 가을을 자연이 우리에게 안겨주었다.

　덥다고 불평한 시간이 귀한 열매로 보내주니 감사를 잊고 원망하고 지난 것이 부끄럽게 생각이 든다. 계절은 그냥 있는 것이 아니다. 모든 것이 자연과 함께 사람이 살 수 있도록 계절은 우리에게 많은 선물을 안겨준다. 가을은 짧게 지나가니, 긴긴 겨울이 우리를 떨게 한다.

올해도 어김없이 겨울이 오면은 가난하고 나약한 사람들이 고통과 함께 걱정을 안고, 긴긴 겨울을 씨름하며 삶의 무게로 짓누른다. 가진 자들은 겨울이 살기 좋아서 눈썰매장으로 다니지만, 독거노인이랑 지하 단칸방에서 배고픔으로 고통받는 사람들은 걱정이 크다.

들녘에 많은 열매를 보면서 나는 무엇을 가지고 사람답게 살 수 있을까? 고민해보니 가장 먼저 할 일은 이웃과 함께 가는 것이 나의 행복이요, 또한 더불어 가는 것이 인간사 도리인 것 같다.

우리나라가 선진국 대열 속에서 부강하다고 정치가들은 말하고 있지만, 날아오는 고지서를 받고 걱정하며 한숨 쉬며 사는 사람이 수없이 많다. 대통령부터 국민을 위한다고 수없이 말들은 잘하지만, 오늘도 수많은 가정에서 민생고를 해결하지 못하는 가정들이 눈에 보인다.

나도 어린 시절 배고픔에 수없이 울던 기억이 있다. 좋은 가을에 낭만적인 감상보다, 손을 내밀어서 가까운 이웃을 돌아보며 사람 사는 맛을 배워보자. 이웃이 아프지는 않은지, 이웃이 눈물로 지내는지, 서로 자주 만나서 아름다운 삶의 동력을 만들어보자.

나는 부자다

강가에 있는 모래는 어쩌다 모래가 되어서 풀뿌리에 걸려서, 내려가지도 못하고 머물고 있을까? 모래는 상류에서 큰 바위로 있을 때는 거만하고 웬만해서는 고집이 세서 구를 줄도 모르고 그 자리에 떡하니 있었건만, 비바람에 밀려서 구르다가 부서지고, 다른 돌에 맞고 물살에 떠밀려서, 지금은 부서지고, 깨어지고, 모래가 되어, 풀뿌리에 걸려서 힘없는 모래가 되었네. 작고 작은 모래가 한낮 볼품없는 모래알뿐이지 않는가!

그러나 나는 모래가 아니고, 우리 집에 큰 기둥이다. 없는 집 장남으로 태어나서 미친 듯이 살았고, 정신을 집중해서 살았기에 지금의 나는 과거의 삶과 고생을 슬프다고 생각하지 않고, 지금 가장 행복하다고 살고 있다.

나는 뿌리고, 가족은 나뭇가지다. 가지가 무성하니, 나는 참 기쁘고 행복하다. 비록 작은 집에 살고 부요하지는 않지만, 그 누구 못지않게 나는 마음이 부자다.

또 행복이 부자다. 나는 자식이 있고 사랑하는 아내가 있어서 부자다.

다른 친구 중에는 아내가 하늘나라로 간 친구도 있고 또한 남편이 가버린 친구도 있다. 그러고 보니 아직도 내 옆에는 코 고는 아내가 있으니 행복하다. 나의 말에 순종하는 자식들이 있고, 예쁜 며느리가 있어서 무엇보다 기쁘고 행복하다. 나는 큰 부잣집에 태어나지 못했어도, 밀알처럼 살았고, 모래알 같은 많은 세월을 차곡차곡 살았기에 늦게 행복이 배가 된다.

지금 나는 근심이 없고 걱정이 없다. 그저 행복하고 있다. 손끝이 시리고, 콧물이 흐르고, 발에 동상이 걸렸지만, 추운 겨울 이겨내고 나니 꽃 피는 나의 삶이 현실이 되어있다. 우리 가족은 활짝 핀 꽃을 피우고 살아간다.

인생은 별것 아니다. 매일매일 그저 하루하루 충실하게 살고, 비록 작은 모래 같은 삶이라도 해가 비치면 모래는 반짝반짝 빛을 발한다. 매일의 고단함이 있어도 잠자리에 들어갈 때는 감사로 잠을 청해본다.

혹시 나에게 혹독한 겨울이 온다 해도 뿌리는 죽지 않는다. 뿌리는 영원한 희망이요, 다시 꽃을 피우기에 나는 겨울을 이겨낸다. 그래서 나는 가장으로서 항상 몸과 마음도 건강하게 살고 부지런하게 준비하며 살리라.

물은 소중하다

비가 오는 오늘. 하늘에 떠 있는 오염된 미세먼지를 비가 물로 내려 깨끗하게 하늘을 청소한다.

우리는 환경에 많은 신경을 쓴다. 지금 농작물은 많은 비를 간절히 기다린다. 저수지에 물이 없어 걱정이다. 사람들도 정신적인 가뭄에 피로도가 많이 누적되어서 더 애타게 물을 기다리고 있다. 공기 중에도 수분이 필요하고, 땅에도 물이 필요하고, 우리 모두도 물이 필요하다. 물은 생명을 살리고, 물은 모든 것을 정화한다.

우리는 평소에는 물의 귀중함을 잊고 산다. 오늘의 비가 다시 한번 감사하다고 느껴보라. 하늘이 노하면 때로는 우리는 하늘을 원망하고 슬픔에 잠긴다. 그래도 우리는 나약한 존재인 것을 알고 있는 그곳에서 즐기고 기뻐하고 감사하라.

하늘 향해 원망마라. 하늘은 수억 년 전부터 지금에 이르기까지 변함없이 우리에게 비를 주셨고, 우리가 살아가도록 때를 따라 비를 내려주셔서, 땅 위에 모든 우리들에게 늘 평안을 누리고 살아가게 하고 있다. 지구는

피 같은 물이 늘 필요하고 우리는 감사도 없이 어제나 오늘이나 무심히 물을 먹고 쓰고 있다.

닭은 한 방울의 물을 부리로 찍어서 갈증을 해결한다. 우리도 뜨거운 태양 아래에서 갈증이 나면 애타게 한 모금의 물을 찾는다. 이렇게 귀중한 물을 사랑하고 아껴 쓰는 실천이 필요하다. 들에 농부는 지금 때맞추어 단비에 고추, 들깨, 고구마, 대 이 씨 등 부리고 심는다. 앞으로 농사가 잘되기를 바라고, 집에 돌아가서 파전에 막걸리 한 잔. 피로를 풀고 모처럼 모든 것을 내려놓고 낮잠을 청한다.

하루살이 벌레 같은 인간의 삶이라도 우리의 시작도 감사로, 끝날 때도 감사를 알고 지키는 삶이 꼭 필요하다. 작은 그릇에 물은 두려워 안 해도 깊은 강, 바다는 두려워한다. 물은 물의 양이 많고 적고가 문제가 아니라 우리는 늘 물을 조심하고 두려워하고 잘 사용하는 지혜가 필요하다. 다시 한번 물의 존재를 마음에 새기고 감사하게 생각하자. 물, 물, 물 말이다….

눈물의 맛

　누워있을 때 다시 일어설 수 있는 용기를 얻는다. 비록 나만 힘들고, 나만 고통스럽다고, 나만 외로운 것 같아도, 많은 사람들도 지치고, 마음도 육체도 힘들 때에, 다시 숨 한번 크게 쉬고 고비를 넘어가자.

　울고 나면 가슴이 후련할까? 울고 나면 괴로움이 사라질까? 울고 나면 모든 것이 해결될까?

　아니다. 울고 나면 결단력이 생긴다. 어떤 이는 자살을 하기도 하지만, 어떤 이는 죽을힘을 다시 마음을 가다듬어서 굳건히 재기하여 험한 세상을 승리하는 이들도 많다.

　때로는 울지 않을 수 없을 때도 있지만, 눈물을 흘린 자만이 성공의 맛을 알고, 눈물 닦고, 세수하고, 마음을 가다듬으면 그동안 보이지 않았던 것이 보이고, 그동안 생각나지 않았던 지혜도 얻는다. 새로운 힘을 얻어서 성공의 길을 간다.

　나도 젊은 시절 참 많이도 울어본 기억이 있다. 나는 지금까지 살면서 이사를 100번 이상했다. 집이 없어서 일 년에 두세 번 이사할 때도 있었다. 우리 아이들은 초등학교를 분기별로 전학하기도 하면서 힘든 시간을 보냈다. 참 미안하기도 했지만, 그런 전학을 하면서도 아들은 6년 동안 단 한 번도 반장 부반장을 놓치지 않고 졸업을 해주었다.

문경의 가은초등학교를 입학하여 서울 이태원초등학교를 거쳐서, 길동초등학교를 거쳐서, 칠곡 동명초등학교를 거쳐서, 대구 동구 반야월 초등학교를 졸업했다.

없는 살림에 이사할 때마다 짐을 버리고, 방 한 칸 사글세 살면서 아이들이 떠든다고 쫓겨나기도 하,고 때로는 방도 아닌 창고에서 긴긴 겨울을 나기도 하면서 동상에 걸리기도 했다. 정말로 힘든 고비마다 나에게 힘과 용기를 주면서 지금까지 따라주었다.

그래도 부지런히 살아왔다. 돌아보니 하나님의 은혜라는 감사를 잊고 살았다. 지금은 두 아들 대학 공부시키고 두 며느리도 얻고 손자 손녀도 있다.

비록 큰집은 아니지만 나만의 보금자리도 있다. 젊어서 고생 원망 말고, 시간에 충실하고 노력하면, 계절 따라 열매가 열 듯이 삶에도 때가 되면 기쁨에 삶의 열매도 열린다. 우리 모두 힘들어도 하늘 한번 쳐다보고 열심을 다해서 살아가자. 파이팅!

모두가 행복하기를

오늘 아침은 어제 비가 와서인지 아침 공기가 상쾌하다. 출근하면서 마을 골목길을 오고 있는데, 불현듯 나의 인생길이 좁은 길로만 살아온 것인가 생각이 들어서, 글로 표현하고 다시 지난날의 삶이 무엇인가 생각을 정리해본다.

모든 사람이 대로로 가기 원하고, 큰 뜻을 품고, 대로를 넘어서, 비행기를 타고 유학하며, 탄탄한 여정을 꿈꾸며 살아간다. 다 같은 세상에 태어나서 누구나 행복할 권리는 있다. 인간의 근본은 부모로부터 물려받고 태어나고, 또한 부모님의 능력과 재산이 밑거름이 되어서 사는 예가 많다.

60년대에는 자가용을 가지고 운전원을 대동하여 시골길을 폼잡고 뒷좌석에 앉아서 헛기침하며 힘주고 살던 사장님들의 모습이 생각난다. 지금은 누구나 자가용을 가지고 골목길, 큰 대로, 고속도로를 마음껏 누리고 활보하면서 문화를 누리고 산다. 예외로 그 틈에 끼어서 민생고를 이기지 못하고 그늘진 곳에서 눈물짓고 사는 이들도 아직은 많다. 인생은 모두가 행복하면은 좋으련만 그렇지 못한 것이 세상이다.

내가 해방 이후에 태어난 세대이다 보니 모든 것이 부족하고, 모든 사람이 굶주리고, 가난이 모두에게 한 맺힌 모습이었다. 경제 발전으로 고도성장을 하다 보니 지금은 모두가 배고픔을 모르고 가난을 이해 못 하는 신세대들이 많다. 나의 삶에 골목길 인생으로 살아왔지만, 과연 대로 인생들은 삶에 더 많은 행복을 자로 잴 수 있도록 행복을 느끼기는 할까.

힘들게 좁은 길 위에서 삶을 사노라고 말로 할 수 없이 고통스럽던 시간도 있었지만, 삶에 노을 진 나이가 되고 보니 지금은 바보처럼 웃을 수 있는 시간이 되어서 그간의 삶이 감사하다. 아직도 나의 어렵던 시절처럼 어려운 가정들이 많다. 그대들도 시간이 흐르면 웃을 수 있는 날이 오리라, 용기를 가져라. 하루를 만드신 하나님은 왜 하루를 만드셨을까?

짧은 나의 소견으로는 그날의 고통을 그날로 잊고 다음 날 새 힘으로 살아가라고 하루하루를 주신 것이 아닌가 생각이 든다. 또한 시간은 왜 주셨을까? 모든 이에게 평등한 시간이 있으므로 고통과 가난이 한 자리에 머물지 않고 돌아 돌아 부자는 가진 것 없던 시간으로 가난한 자는 부한 자로 돌게 하신 것 같다.

물질은 영원한 것이 없고, 물질은 나는 새처럼 날아가도록 이루어져 있다. 그러므로 욕심을 내면 잠시는 내 손에서 행복할 수 있으나, 내가 사는 날까지 영원히 있지는 않는다.

세상에는 많은 부류의 사람들이 섞여서 살아가는데, 가진 자는 힘으로 누르기를 좋아하고, 없는 자는 기세에 눌려서 고통을 받고 살아간다.

세상이 험해도 나의 마음에 기쁨을 가지고 사는 사람은 얼굴에 희망이 있다. 기죽지 말고 당당하라. 내가 살아온 시간을 더듬어보니 고통 뒤에 기쁨이 있고, 슬픔 뒤에는 희망 있고, 노력 뒤에는 결과가 있다. 너나 할 것 없이 200살을 사는 자는 없다. 마을 졸이며 욕심내지 말고 작은 삶에 충실함이 부요함의 길이다. 물질이 있으면 좋지만, 그러나 욕심은 자멸이다.

날마다 좁은 길이면 어떤가. 내가 갈 수만 있으면 행복으로 가리라. 걸어가면 어떤가. 조금 늦으면 된다. 빨리 가는 차를 타고 과속하는 것보다, 천천히 가면은 보는 것도 많고, 마음의 여유도 있고, 행복을 가질 수 있는 시간도 많다. 좋은 삶의 시간에 걱정을 안고 살지 말고, 행복을 가슴에 담자.

오늘 출근길에 잠시 생각하니 '모든 것이 부족하고 미숙한 인생이었구나.'는 생각이 든다.

다시 생각해도 나의 마음이 중요함을 새삼 느끼는 출근길이다. 오늘 모두가 행복했으면 하는 바람이다.

돈

돈.돈.돈. 하면은
마음도 정신도 돈다

돈.돈.돈. 하면은
친구도 떠나간다

돈.돈.돈. 하면은
내몸에 병이든다

돈.돈.돈. 하면은
근심이 늘어난다

돈.돈.돈. 하면은
고독하고 외롭다

돈.돈.돈. 하면은
욕심이 화가 된다

잘 사는 법

무엇으로 사나, 밥 먹으려고만 사나, 아니면 욕심으로 사나. 삶의 무게로 오늘도 지쳐서 아무 생각이 나지 않는다. 조용히 바라보면 이것도 아니고 저것도 아니고 정답 없이 살아가고 있다.

계절 따라 더웠다가. 계절 따라 싸늘하게 식어가는 마음이, 우리 삶에 왜 변화를 주는지 알 수가 없다. 지식이 필요하여 죽도록 배우고, 나머지 인생을 살겠다고, 죽도록 일하고, 이래저래 골병들고 남는 것은 허무함뿐이다. 그래서 옛날 어르신께서 말씀하시기를 삶은 헛된 것뿐이라고 하셨다.

구름을 잡으려고 허공에 손을 뻗으니 손에 잡히는 것은 무에서 무뿐이다. 그러나 어쩌겠는가. 더 나아지리란 보장도 없는 삶을 아둥바둥거리니 삶이란 참 미련하구나.

누구는 삶을 위대하게 살다 갔다고 말들 하지만, 내가 사는 동안 잘 산다는 것은 바보처럼 사는 것이고, 욕심이란 단어를 기억 못하고 사는 것이 진정한 삶으로 여겨진다.

부를 버리고 가난을 택하고, 바라는 것을 버리고 베푸는 것을 즐기는 것이 행복이요, 잘살았다고 평하고 싶다.

길 가에 핀 풀들은 아침 이슬로도 웃고 살고, 조용히 날고 있는 잠자리도 큰 눈을 가지고 즐겁게 날고 있지 않는가.

오늘 삶에 마음의 칼을 가지고 있는지, 아니면 떨어진 나뭇잎을 가지고 낭만적인 감사로 사는지, 삶의 모습도 다르고 삶의 질도 다르다.

행복을 누워서 바라보며 달라고 하지 말고, 저 멀리에서 아지랑이 오듯이 소리 없는 행복을 가슴으로 찾아가며, 살고 미련하고 우둔한 사람이 되지 말고, 지혜로운 하루를 무조건적인 감사로만 살자.

배움은 사무치는 그리움이다. 그 많은 시간을 어디에서 다 써버리고, 이제야 석양 노을에 가방을 준비하니, 벌써 학교가 마음속에 자리하네.

늦게 배우는 성문 문해학교가 설레고, 첫 시간 선생님과 마주하니 감회가 새롭다. 지금부터 시작이다. 나에게 뜻밖의 기회가 왔으니, 열심히 배우고 즐거움이 배가 되도록, 최선의 노력으로 배우리라 다짐하니, 마음의 봄이 화사하게 교실 안에 와 있다.

생각대로 빨리 이해가 안 되어도, 천천히 생각하며 한자, 한자 마음을 담아 자연환경과 세계 언어인 영어를 배우니, 무지에서 눈이 뜨이고, 배움의 양식이 되니 능력도 생겨서, 즐거움도 맛보고 삶에 보람을 찾아, 지금이 가장 행복하다.

한두 자 배워서 집에 오면 6살 손녀와 영어로 대화한다.

"이것은 무슨 색이야?"

라고 물으면 손녀가 크게 답한다

"옐로, 브라운, 블랙"

그동안 옐로를 모르고 살아왔다. 공부는 재미있고 더 열심히 배워서 내가 사는 동네에 동장이라도 할 수 있도록 꿈을 가져본다.

사랑

사랑은 눈망울을 바라보고
사랑은 모든 것을 녹이며
사랑은 언제나 행복하고
사랑은 미소가 가득하네

사랑은 주어도 주어도
사랑은 주고 주고 싶네
사랑은 영원히 마르지도
사랑은 샘물처럼 솟아나네

사랑은 모든 병을 낫게 하고
사랑은 대가도 원치 않고
사랑은 모두의 활력이 되고
사랑은 최고의 선물이 된다

아름다운 삶을 사는 법

하늘에 구름은 날개가 없어도 하늘을 유유히 날고, 흐르는 저 강물은 바퀴가 없어도 잘도 굴러간다. 독수리는 엔진이 없어도 창공은 날고, 시간은 소리도 없이 고요하게 가는데, 우리들의 삶은 매일매일 힘겹게 그리고 어렵게 살아간다.

각자 홀로 있을 때는 다들 똑똑하고, 영리하고, 능력이 있는 것처럼 보여도, 가만히 들여다보면 모두가 힘들어하고, 힘에 겹도록 살아가는 모습이다. 아마도 사람들은 머리에도 욕심이 가득하고, 가슴에도 욕심이 가득하고, 행동에도 욕심이 가득해서 만족을 못 느끼며 사는 모습이다.

옛날 노래 가사처럼 만약에 100만 원이 생긴다면 무엇을 할까? 노래 가사처럼 행복함을 채울 수 있을까? 시대가 변하여 지금은 100만 원이 아니라 10억, 100억이 있어도 마음에 욕심 때문에 만족이 없다. 가슴이 메마르고 마음에 여유가 없다.

60년대 배고픈 시절이 끝나면 행복할 줄 알았는데, 지금 모든 것이 넘치고 풍성해도 여전히 만족이 없다. 행복은 아직도 저 산 너머에 있을까?

이제 며칠 후면 입춘이 다가온다. 대문에 입춘대길 문구처럼 모든 가정이 봄에 크게 잘되기를 바라고 마음이 부자이면 좋겠다.

입춘대길은 내가 먼저 찾아가야 하고, 더 부지런히 노력해야 입춘대길이 가정에 복으로 돌아온다. 오늘도 내가 먼저 사랑을 나누고 ,협력하고 함께 할 때 모든 복이 찾아든다.

우리는 하늘에 구름처럼 가벼운 마음으로 창공을 날고, 흐르는 물처럼 가다가, 부딪혀도 말없이 인내하고, 노력하자. 독수리처럼 가슴을 열고, 큰 꿈을 가지고, 다시 날아가도록 힘찬 준비를 해보자.

오늘도 아름다운 삶을 원하는가? 눈물로 하루의 삶에 씨를 부려 좋은 날 풍성하고 여유로운 열매의 날개를 달아보자.

미련을 버리자

버리지 못하는 미련
바보같이 행동하는 미련
남의 말을 무시하는 미련
모든 것을 남에게 돌리는 미련
즐거운 것도 모르고 빼앗기는 미련
하루를 살면서도 왜 사는지 모르는 미련
모든 것 다 가지고도 없다고 낑낑대는 미련
수 없이 많은 행복을 가지고도 행복을 모르는 미련

우리는 바보같이 미련한 삶을 살고 있지는 않는가? 우리는 날마다 욕심 부리며 살고 있지는 않는가? 우리 모두가 행복을 모르고 허비하지는 않았는가?

같은 일상 속에서 미련 버리고, 그저 덧없는 세월 아끼고, 버리고, 나누고, 비우고, 빈손으로 웃고 살자. 미련하게 아등바등 더 가지겠다고 욕심 갖지 말고 마음부터 편하게 비워보자. 근심은 욕심에서 생기고 미련은 버리지 못하는데서 있느니라. 작은 것부터 버리는 실천이 우리 모두 마음으로부터 시작하면 어떨까!

어머니의 사랑

사랑이 무엇인지 철모르고 자라서
어머니의 사랑을 먹고 자랐건만
철이 없어 사랑을 헌신짝처럼
생각하고 남녀 간에 사랑만
사랑으로 생각했으니 말이다.

돌아보면 하늘 아래 어머니의
한없이 몸 바쳐 사랑으로 키워주신
은혜가 아름답고 귀한 사랑을
이제야 알았다.

생전에 어머니의 사랑을 받고도
미련하게 살았으니 불효한 자식
어머니께 찾아와서 용서를 구하고
그 귀한 사랑을 어머니께 고합니다

이제는 받을 수 없는 사랑
갚을 길 없지만 어머니
하늘에서라도 자식 걱정 놓으시고
편히 쉬세요

못난 아들 올림

행복은 곁에 있다

　오늘 아침은 제법 쌀쌀하다. 밭에 배추들도 춥다고 움츠려서 하늘을 향하여 빼꼼히 나를 바라본다. 계절은 어김없이 돌아오고, 없는 이웃은 긴긴 겨울 걱정이 태산 같다.

　러시아와 이라크 전쟁으로 전 세계가 어려운 가운데서 때아닌 이스라엘까지 전쟁이다. 우리는 전쟁 가운데서 살아가는 것이 더 고달프고 더 인심들이 팍팍하다.

　옛날이나 지금이나 시대는 달라도 여전히 사는 것이 힘들다고 아우성이다. 빈부의 격차는 있지만, 하나같이 가진 자나 없는 자나 얼굴에 미소가 없다. 전쟁 피난 가운데서도 우리는 도우면서 가난을 극복하고 이겨냈다. 지금은 물질만능주의로 또는 개인주의로 세월이 흘러가니 부모 형제도 없다. 정말로 각박한 세상이다.

　고대광실, 높은 아파트에서 수억짜리 집에 살면서도 행복을 잊고 살며, 또한 번쩍번쩍 빛나는 자가용을 타고 다니면서도 기쁨을 잊고 살고 감사는 사라진 지가 아득하다. 사람은 하루를 같은 테두리 안에서 늘 반복되는 일을 하며, 늘 그 틀에서 벗어날 꿈을 갖지 않고, 불평과 원망을 하며 행복을 차버리고, 마음속에 나쁜 감정을 안고 산다.

조금만 돌아보면 부모님 덕에 고생을 모르고 있고, 부모님 덕에 대학까지 공부할 수 있었고, 사회가 잘 사는 대한민국에서 자유를 누리니 얼마나 감사하고 행복한가.

모든 것이 기쁨이요, 모든 것이 행복인 것을. 우리는 행복을 곁에 두고서 멀리에서 찾아가려고 한다. 작은 것에 만족이 큰 것을 얻게 하고 작은 일에 충성하는 것이 성공하는 길이라고 선인들은 늘 말하고 가르쳤다.

이제라도 많은 것을 탐내지 말고 작은 대로 기쁘게 감사로 당당하게 세상을 바라보자. 세계 경제가 어렵다고 하나, 우리는 인내하고, 절약하고, 힘들지만 다시 달려가는 우리가 되어가자.

오월은 행복의 달

　아침에 날씨가 쌀쌀하다. 겨울옷을 다시 찾는 기온이다. 붉은 장미가 출근길에 더욱 아름답게 보이고, 나의 마음에 싱그러움과 풍요로운 아침을 선사하고 있다.

　오월은 신부의 계절이고, 가정의 달이다. 그래서 장미 한 송이 들고 새 가정을 시작하는 오월의 새 신부는 부푼 마음으로 준비하니 더없이 아름답다. 대자연은 광활하게 펼쳐지고, 다 알 수 없는 세상에 나는 살아간다.

　오늘도 변함없는 시간 속에서 새 생명은 태어나고, 구세대는 밀려가고, 구름은 유유히 흘러가니 역사만 남는구나. 단순하게 생각하면 보잘것없는 삶이지만, 한평생 살아가다 보니 혹독한 삶도 있고, 냉혹한 겨울도 있고, 슬픔에 눈물 흘릴 때도 있다.

　오늘도 반복되는 삶 속에서 나는 어떤 모습으로 가야 하나! 두 번 다시 오지 않는 삶에 하루를 충실하게 살자. 열심을 가지고 먼저 사랑하고, 주변을 돌아보고, 서로 협력하는 삶이 되어야 한다.

오월은 부모님을 생각하고, 아내를 사랑하고, 자식을 돌아보며, 마음을 다해 더 많은 사랑을 나누어야 한다.

장미는 아름답다. 그러나 장미 속에 가시가 있다. 사람의 마음속에도 시기, 질투, 미움, 오만이 가득하니 이런 마음을 버리고 아름다운 마음으로 오늘 실천하고, 여유를 가지고, 싱그럽게 웃으며 살아보자.

마음에 섭섭함과 괴로움도 털어버리고 즐거운 하루를 살아보자. 이슬 속에서 숨 쉼이 있고, 아침 햇살에 자람이 있듯이, 마음이 넓어지고 마음이 자라있고 삶이 넉넉한 하루를 살아가자.

참는 것이 삶이다

인생은 굽이굽이 수없는 고비를 넘어가면서 살아간다.

학창 시절 청운의 꿈도 삶에 떠밀려서 나의 뜻대로 살 수 없는 것이 인생의 길인가 보다.

20대는 좋은 직장을 찾아 헤매고, 30대는 그 직장을 소화하지 못해서 이 직장, 저 직장을 이직하면서 다니다 보니, 40대 무거운 가장으로 쓰라린 고통과 상처를 안고 책임감에 늦게 직장을 지키고 참아가면서 살다 보니 퇴직이 기다리네.

아직도 갈 길이 먼데 나이가 자리를 내어놓으라고 한다. 60이 되면 안정이 되는가 싶은데 또다시 걱정이 밀려온다. 최선을 다해 살았다고 자부는 했지만, 그래도 삶이 성이 차지 않는다.

가진 자는 여유롭게 여행이다, 가진 자는 낚시 즐기는데, 없는 자는 공사장으로, 택시 운전으로, 또는 경비원으로, 산골 농사지으러 들어간다.

나도 예외는 아니다. 경비 교육을 받고 노후에 경비 일을 하게 되었다. 남들은 하찮은 직업으로 여기다 보니 존경의 대상은 아닌가 보다. 자식들은 장성해서 각자 살고 있으나, 나는 자식들에게 짐이 되기 싫어서, 궂은 경비라도 하고 있다.

  아파트에는 잡일이 많고, 주민들은 무시하기 일쑤이고, 주민 모두가 주인이다. 근무복은 땀에 절어있고, 냄새도 많이 난다. 그래도 지금은 요령도 생기고 일이 능숙해져서 그럭저럭할만하다.

  2~30대 같으면 주민들과 수없이 싸우고 멱살이라도 잡고 휘둘렀을 것이다. 참으니 하루하루가 그래도 간다. 야간에는 오는 졸음을 참아야 하고 빨리 새벽이 오기를 기다린다. 인생은 지금부터다. 많은 것을 다시 배워가며 오늘도 근무에 열중한다. 사람 살아가는 모양은 어디에든 장소가 따로 없다. 그저 참는 것이 삶이다.

개 풀 뜯어 먹는 소리

저 하늘에 구름은 한곳에 머물 수 없어 지구를 순찰하며, 모든 나라를 두루 살피고 골고루 지구를 위하여 많은 이들을 한다.

흐르는 물은 흘러 흘러 골짜기에서부터 작은 도랑을 거쳐서, 순서대로 냇가를 지나, 강으로 바다로 가니 송사리를 먹이고 메기를 먹이고 바다의 고기를 먹이는 가장 큰 일을 한다. 우리는 자연과 함께 더불어 가면서 많은 것을 보고 느끼고 지혜를 얻는다.

어린아이에서 청년으로 모든 경험을 하고, 장년에서 아등바등 살다 보니, 노년으로. 인생이 빠른 세월에 떠밀려서 한세상 희로애락을 경험하고 산다. 아무리 세상은 빨리 변하고, 아무리 빨라도, 저 태양만큼은 어제나 오늘이나 변함이 없다. 우주 만물은 천년 전이나 지금이나 인간을 사랑하고 있는데 왜 사람들은 밀려간다고 생각하며 인간의 도리를 무시하는가.

존경이 사라지고, 장유유서가 사라지고, 나눔과 베풂이 사라지고, 난무한 불신만 생겨날까.

잘 살게 되고, 배가 불러지니, 서로 험담하고 배척하니 어머니, 아버지를 버리며, 형제간에 우애도 사라지니, 이 또한 개탄스러운 세월이 되었구나.

애국가처럼 우리는 하느님이 보우하사 우리나라 만세인데, 서로 사랑하고, 백두산 천지가 마르고 닳도록 부모형제 그리워하고, 이웃과 주변에 모든 이에게 존경하고 존경받고, 아름다운 동방의 사랑하는 민족이므로 다시 돌아갈 수 있어야 한다.

교육이 늘어나고, 지식이 쌓이고, 세계가 하루 생활권으로 바뀌어 가는데, 우리의 마음들은 문을 잠그고, 보는 눈은 황홀하니 자만과 거만이 팽배하는 세상으로 변하여 가니, 모두가 가슴이 답답함을 느끼리라 생각이 든다. 그 옛날 우리가 어릴 때는 담뱃대가 긴 것을 할아버지의 권위요, 무언의 어른들의 질서로 여기고 오직 순종과 예절이 살아 숨 쉬고 아름다운 풍습이었다.

골목집 지게 엿장수의 가위질 소리가 정겹던 시절이 그립고, 호롱불 등잔 밑에서 겨울 내복을 뒤집어서 이를 잡던 시절이 지금 새삼 그리워진다. 동지섣달 바람 소리에 울어대던 문풍지 소리, 추위에 형제자매 이불 속에서 따뜻함을 몸으로 비비며 자라던 시절도 생각난다.

겨울에 작은 냇가에서 우리 어머니들은 시린 손을 호호 불며 우리들의 옷을 빨아주었고, 아궁이의 군고구마를 호호 불며 입에 넣어주시던 어머니가 그립다. 아이들은 추위에도 논과 마당에서 손과 발에 흙먼지를 만지며 놀다 보면, 저녁노을이 물들기 시작하고, 어머니의 저녁 먹으라는 소리가 지금도 귀에 쟁쟁하게 남아있다. 가난하였지만, 인간의 예절과 사랑과 훈훈한 정으로 살아왔다. 지금 세상은 그 옛날 훈계와 얘기를 하면은 개 풀 뜯어 먹는 소리 하지를 말란다.

장유유서가 무너지니, 남의 말과 어른들의 말을 듣지 않는다. 참으로 악한 세월이다. 중학교 딸아이들이, 할아버지에게 담배 심부름을 시키지를 않나. 길가는 행인을 무차별 칼부림하지를 않나. 법을 무시하고 스토킹을 하지 않나.

지하철에서 어르신들을 빤히 쳐다보면서도 양보를 모르고 도리어 자기들도 돈 내고 앉을 권리가 있단다.

세월이 얼마나 무서운 세상으로 변해가는지 개탄스럽다. 질서가 무너지고 경로가 사라지고 물질이 넘쳐나니 서로 못된 것만 배우고 물질만능만 이루려고 하는 순위가 바뀐 세상이다. 도덕이 무너지니 남의 생명을 함부로 빼앗고도 고개를 들고 가책이 없다.

부모님을 양로원이라는 고려장에 가두고, 부모에게 재산을 넘겨달라고 위협을 가하니, 이것이 진정 효도이며 사는 것인가. 자라나는 세대들에게 무엇을 보고 가르칠 수 있을까?

교권이 무너지고, 존경이 사라지는 이때에 우리는 다시 반성하고 참다운 사람으로 살아가는 세상을 세워보자.

오직 돈이 최고라고 가르치지 말고, 사랑과 예절과 배려가 있기를, 서로 함께하는 세상을 변화시키자. 나는 이 글을 쓰면서도 앞날의 걱정이 가슴이 터지는 심정이고, 서글픈 눈물이 앞선다.

이웃과 함께

주어진 시간 속에서 삶이란 도대체 무엇인가?

한결같은 시간 속에서 무엇이 필요하고, 무엇을 구하며 사는 것일까? 마음이 가는 대로 사는 것이 자유로 산다고 할 수 있나? 같은 시간을 풍성하게 잘 사는 것이 무엇인가?

한 시간의 흐름도 내가 가야 할 곳과 가지 말아야 할 것이 있다. 오늘도 진정한 삶을 찾아서 어디로 가고 있나. 가방을 메고, 버스를 타고 회사로 출근하면서, 하루의 일과와 행복이란 것을 잘 수행하고 있으면 진정한 삶인가? 날마다 즐거운 것도 없고, 우리의 삶은 같은 테두리 안에서 늘 반복되는 삶을 살고 있다.

오늘 뉴스에서 소록도에서 일평생을 몸 바쳐서 희생하며, 생을 마감한 수녀님의 모습을 보니 그저 고개가 숙여지고, 지난 삶의 희생을 감사로 생각하며 고귀한 모습이 아름답다. 희생은 아무나 하는 것은 분명히 아닌가 보다. 하루만 희생하고 도와달라고 외쳐도 지금은 모두가 하나같이 모른 척 외면하는 각박한 시대다. 내 것만 찾아서 하루를 산다고 행복할까? 아니다.

우리는 나그네다. 세상에 왔다가 하늘 천국으로 돌아가는 인생인 것을 분명히 알고, 노력과 헌신으로 참된 삶을 찾아가면서 살고, 그릇된 욕심은 생각지도 말자. 빈손으로 온 인생, 갈 때도 빈손으로 간다. 욕심부려서 죄를 만들지 말고, 겸손히 살며, 나에게 주어진 물질로 감사하고, 돕고, 감싸 주고, 희생을 기쁨으로 여기며 삶을 이어가 보자.

산다는 것은 행복이 아니라, 산다는 것은 무에서 무라는 것을 깨닫고, 작은 것에 오늘 감사하라. 부귀영화를 누리고 간 부자들도 떠날 때는 다 빈손이다. 그러나 소록도 수녀님처럼 희생을 일평생 하시고 떠난 수녀님은 하늘나라 상급이 그 무엇보다 크고, 이 땅에서 크다고 할 수 있는 그 어떤 것보다 보배로운 하늘 상급을 받는다.

나의 삶 속에서 한 달에 한 번이라도 이웃과 함께하는 시간을 가지고, 아름다운 대화로 도와가면서, 삶의 보람도 만들어 가보자.

지금도 나는 늘 미련하여 깨닫지 못하여, 사랑의 실천을 잘못하고 있다. 표현력도 부족하고, 경상도 말씨도 거칠게 표현하니, 늘 노력이 부족함을 느끼고 살아간다. 진정 어린 말과 행동으로 나는 많은 생각을 하면서 도와가면서 살려고 노력 중이다.

나는 어린 시절 소외되고 가난하고 못 배우고 가진 것 없이 살다 보니, 나도 모르게 거칠어지고 참을성이 늘 부족하다. 그러나 여러 가지 일을 하면서 많은 기술을 배웠으니, 지금은 다양하게 남을 도우는 일을 많이 해준다.

남의 집에 고장 난 것이 있으면 고쳐주고, 용접할 일이 있으면 용접도 해주고, 공사할 일 있으면 공사도 도와주면서, 이웃과 함께 하는 일이 많다.

오늘도 멀리 있는 무지개를 찾지 말고 가까운 옆 이웃과 함께 행복을 엮어서 보람 있는 하루를 살아보자.

조금 손해보며 살자

지구도 태양의 뜨거운 열을 받고 있고, 자동차도 엔진의 열을 가지고 달리고, 짐승도, 사람도 그렇다.

강한 자에게 밀려서 쫓기듯이 살아가고, 에어컨도 찬 바람을 만들자니 외기 가열을 받는다. 나무도 더운 여름을 이겨내기 위하여 많은 잎이 열을 받고 흡수한다. 우리는 살면서 많은 열을 받을 때가 종종 있다. 비록 열은 꼭 나쁜 것만은 아니다.

열은 우리에게 필수 조건이다. 받아들이는 연습이 필요하다. 말을 못 하는 작은 벌레부터, 지구 위에 사는 한 우리는 열을 잘 흡수할 줄 알고, 이용하면은 큰 것을 누리며 살아간다.

누구누구 때문에 열받는다고 하지 말고, 당연한 것으로 여기고 받는 자만이 지혜로운 것이다. 불평불만보다 내가 조금 더 일을 하고, 내가 조금 더 물러서고, 내가 조금 더 손해 보자. 그렇게 살면 모든 것은 복이 되어 나에게로 돌아온다.

조금 손해는 큰 것으로 변하고, 조금 물러서는 것은 일보 전진이 되며, 남들도 나를 지켜보고 있기에 시간이 흐르면 신뢰가 쌓이고 인품이 쌓이고 인정받게 된다. 이것이 성공의 길이며, 오래 살 수 있는 장수의 비결이다.

　　지금 손해 보는 것 같아도, 이것이 복이 되고, 아름다운 결실이 된다. 우리는 열을 받지 말고 열을 잘 이용하자. 남들이 열받는 일, 싫어하는 일을 해주고, 남들이 외면하는 일을 해주며, 사람이 사는 세상을 아름답게 인간관계를 이어가 보자. 그리하면 남들이 나를 인정해 주는 시간이 쌓이고, 나를 무시하던 사람들도 마음에 문을 열고 함께 더불어 살아갈 수 있다.

　　남을 귀히 여기고 상대를 존중하여 우리들의 소중한 삶을 살다 보면은 먼 훗날 값진 보물이 되어서 나에게로 돌아온다. 오늘도 서로 존중하며 열받는 일이 생기면은 따뜻한 커피 한잔하면서 귀중한 삶을 이어 가보자.

금수저와 흙수저

 추석이 저물어 가고 휴식으로 시간을 보내는 사람들의 움직이는 모습이 평화롭기만 하다. 가족을 만나고 오고 가는 힘든 여정이지만, 그래도 명절 이란 이름으로 만날 수 있으니 얼마나 좋을까?

 항상 명절 뒤에는 슬픔과 눈물로 살아가는 가슴 아픈 사람들이 있다. 이제 날씨는 추워지기 시작하고 있는데, 그늘진 곳에 사는 분들은 한숨을 쉬며, 걱정 속에서 힘겨운 사투로 살아가는 것을 볼 때, 위로와 안타까운 마음이 든다.

 농전 시대에 태어나서 산업화 시대를 거치고, 지금은 로봇과 컴퓨터 시 대로 살아가는 편리한 세상을 이들은 부지런히 살고, 머리에 이고 지고 등 이 휘도록 살았건만, 정직하게 산 것이 죄가 되어서 고대광실 높은 집 밑 에 끼여 살게 되고, 큰길 사이 막다른 골목 안에서 폐지 주워서 골목으로 밀려나 살고 있다. 이런 사람들도 잘 살기를 원했지만, 아마도 마음먹은 대로 아니 되니, 소리 없이 낙오자의 삶을 살아가고 있다.

 누구나 평등할 권리는 있지만, 금수저와 흙수저로 태어나면서 구별되기 시작하니, 사람으로 살아가는 길이 달라질 수밖에 없다. 서울 가면 눈 감으면 눈 깜짝할 사이 코 베어간다고 우리는 어릴 때 첩첩산중에서 듣고 자랐다.

무슨 뜻인가? 어리바리 살다가는 내 손에 쥐어진 돈도 다 뺏기는 것을 말하고, 지식이 넘치는 자들이 법을 이용하여 손쉽게 빼앗아 간다는 것이다.

그래서 배워야 살고, 그래서 정신 차려서 부지런히 살아가야 하고, 친구를 잘 사귀고, 이웃을 잘 만나야 하고, 만남의 인연이 소중하고, 인품 있는 사람을 만나면 성공할 수 있고, 나의 인격도 존경받는 사람이 될 수 있다.

항상 눈 뜨면, 오늘 내가 가야 할 곳이 바른 길인지 구분하고, 오늘 목표가 정직한 목표인지 확인하며 살고, 진정한 삶의 길이 정직했는가 돌아보고, 마지막에는 감사로 마무리하라.

추석 명절이 지나니 항상 기뻐하고, 항상 즐거운 삶이 되도록, 더욱 노력하여 근심은 밀어버리고, 행복은 만들어가서, 살아있는 한 건강하게 살다 죽자.

이번 추석에도 사랑하는 아내와 나의 예쁜 딸 같은 두 며느리들아! 사랑하고 고맙고 수고 많이 했다. 다음 추석 때까지 둥근 보름달처럼 항상 기쁘게 웃고 살자. 파이팅!

커튼

커튼은 펼치면 모든 것이 가려지고
마음도 가려지고 사람 사는 세상도 보이지 않는다.

우리는 마음의 커튼을 걷고
아름다운 눈으로 사람을 보고 행복과 사랑을 나눈다.

커튼을 걷으면 시원한 풍경이 보이고
상쾌한 공기가 우리에게 생기를 불어 넣는다.

커튼을 걷으면 어둠이 사라지고
마음에 평안을 누리고 행복이 찾아온다.

커튼을 모두 걷고 희망의 날개를
펼쳐보자 오늘도 힘차게 노래로 파이팅!

삶이 곧 재산이다

나는 다른 친구들보다 욕심도 많고 경쟁도 잘한다. 14살에 신문배달, 기와 공장, 광업소 하층 광부, 자전거 기술, 전기용접, 담장을 바르는 미장일, 닥치는 대로 삶을 살다 보니 어느새 기술자가 되었다.

유독 나는 보는 눈과 하고자 하는 욕심 그리고 살고자 하는 다급함이 있어서인지, 주변 사람들이 나에게 일하는 재능이 있다고 했다. 기와 공장에서 나는 시다로 열 손가락이 피가 나도록 일했다. 틈만 나면 연습에 연습을 더하니, 기와를 만드는 실력이 날로 늘어갔다. 그렇게 2~3년이 흐르니 내가 기술자로 임금이 상승하고 하루 품삯으로 100원을 벌 수 있었다. 그리하여 나는 생계를 이어가는 가장으로 열심히 일을 했으며, 덕분에 배고픔을 면하고, 생활도 조금씩 나아져갔다.

겨울에는 자전거 기술을 배우러 다니고, 봄이면 탄광에서 일을 하고, 산소 절단 기술, 전기용접기술을 익혀갔다. 반복되는 자전거 일과 탄광 생활을 해가면서 한 달에 5000원도 벌고, 더 나아가서 18000원까지도 급여가 올라갔다.

이렇게 물, 불 안 가리고 열심히 살다 보니 20대 중반에 지금의 아내를 만나고, 가족이 늘어가니 나의 어깨가 더 무거워졌다. 결혼비용은 빚을 얻어서 결혼했다. 가족을 거느리고 빚을 갚는 게 힘들 때가 참 많았다. 아내가 결혼반지를 해준 것을, 나는 잊어버렸다고 거짓말을 하고 반지를 팔아서 빚을 갚기도 했다.

그렇게 어려운 시절을 이겨내며 발 더 치며 살아온 삶에, 원망도 없고, 미련도 없다. 그 후로 많은 어려움은 글로써 다 표현할 수가 없고, 수없이 흐르는 눈물을 감추고 살아온 세월을 보냈다. 그 고난 중에도 하나님이 나를 세우시고 일으켜주셨다.

지금은 모든 짐을 조금씩 내려놓고 마음 즐겁게 모든 일에 즐기고 있다. 정년도 지났고. 잠시 쉴 때도 있으나, 아파트 관리 회장직을 맡아서 내가 사는 아파트에 모든 일을 4년간 할 수 있었다.

하수구 막힌 곳 뚫기, 인도블록 교체하기, 화단 꽃 가꾸기, 아파트에 있는 큰 나무들 전지하기, 조명등 갈아주기 잡다한 일들을 자재만 구하여 인건비를 줄여가며 봉사하기도 했다.

시골에서 자라서 땅은 없지만, 농사를 짓기도 하여, 경운기를 가지고 남의 논과 밭을 갈아주며, 품삯을 받기도 했다. 나는 기계를 다루는 실력도 있고 60이 넘어서 자동차 정비 자격도 취득하여 지금은 손수 웬만한 정비는 한다.

요즘은 버려진 선풍기를 주워서 분해하여 수리한 후에 노인정이나 교회로 선풍기를 보내기도 하고 필요한 이웃에 나누어주기도 한다. 이렇게 닥치는 대로 열심히 노력하니 자신감도 생기고 어려울 때에 돌파구를 찾기도 어렵지 않다.

사람은 노력하면은 무엇이든지 이룰 수 있고, 하고자 의지만 있으면 무엇이든지　할 수 있는 능력이 생긴다. 나는 비록 배움이 없어서 많은 어려움이 있었지만, 산업 전선에서 땀 흘리고 몸으로 체험하고 부단한 노력 끝에 많은 기술을 터득했다. 기술은 남이 하지 못하는 것을 해결하는 것이 기술이다.

　지금 이 자리까지 내가 살아온 길이 험한 일과 힘든 일을 마다 않고 했기에 지금에 내가 설 수 있었다, 일을 배우면서 불에 데는 일, 망치로 손 등을 맞은 일, 눈이 퉁퉁 부어서 앞을 보지 못한 일, 수없이 고단함 속에 코피를 흘리던 일….

　모든 것이 밑거름이 되고, 모든 것이 나를 지금 이 자리에 서게 하였다. 때로는 포기하고 싶을 때도 있었고 , 때로는 내가 싫어질 때도 있었고, 때로는 부끄러워서 피하여 다닌 적도 있다. 그렇게 긴 여정도 지금은 모든 것이 남의 일인 것 같기도 하다. 일평생 사는 길이 험난하지만은 않다고 하던데, 나만 힘들　나만 나의 인생이 왜 이럴까 하기도 싶기고 하지만, 누구나 겪는 고통이다.

　삶의 노력은 거저 되는 것이 없다. 경험이 재산이 되고, 삶이 곧 재산이다.　뒤돌아보니 나의 등 뒤에는 하늘 아버지께서 지금까지 주의 은혜요 감사를 입술로 나는 찬양하는 삶으로 충만하다.

오늘의 고단함이 내일의 행복을 이룬다

삼복더위가 사람들을 지치게 하고, 나무에 붙어서 우는 매미는 우는 것인지, 노래를 부르는 것인지, 서럽게 울어댄다. 풀밭에 메뚜기는 이리 뛰고, 저리 뛰고, 야단이 났다.

하늘은 울상이고, 나는 조금만 움직여도 옷이 땀으로 흠뻑 젖는다. 산은 푸르르나, 내가 갈 곳이 없고, 오라는 연인도 없다. 우리의 삶은 파도처럼 밀려오고 또 밀려오는 삶을 살고 있지만, 삶의 모습은 늘 파도처럼 순탄하지만은 않다.

오늘은 바람에 흔들리고, 내일은 마음에 파도가 밀려와서 풍파가 일어나고, 오늘은 비바람에 마음이 불안한 모습이 현재의 우리 모습이다.

가지 많은 나무에 바람 잘 날 없다고는 하나, 사람들의 마음속에는 불안한 상처와 고단함을 안고, 지고, 이고 산다. 늘 위로받을 곳이 없다. 그러나 우리는 늘 개척하는 자세로 살고, 늘 항해하고, 전진하며 달려가고, 숨 가쁘게 이 모양 저 모양으로 각자의 생각과 기능을 발휘하며 살아간다.

오늘의 고단함이 내일의 행복을 이룬다. 가는 길이 달라도 우리의 목적지는 행복을 찾아간다. 인생길 보물 찾아가는 능력도 다르다.

산에 나무는 물과 흙이 있어야 살고, 바다의 고기는 물과 공기가 있어야 살고, 사람은 여러 가지 조건 중에 기쁨과 사랑하는 삶이 있어야 살 수 있다. 성경에도 믿음, 사랑, 소망 그중에 제일은 사랑이라고 쓰여있다.

하루의 인생길에 오늘도 남을 위해서 사랑하며 살고는 있는가? 혹시라도 마음이 상해서 마음 둘 곳이 없는지…. 시간은 빠르게 흘러간다. 잠시 시름을 놓고, 한숨 돌리고 하늘 한번 쳐다보자. 구름도 흘러가니, 인생도 흘러간다. 그러니 조바심 내지 말고, 화내지 말고 그저 사랑하는 마음으로 돌아가 살자.

무덥고 섭섭한 날씨에 잠시 쉬면서 전진할 준비를 해가자. 그리고 다시 힘차게 달려가는 오늘을 만들어가 보자. 나에게 내일이 또다시 온다는 보장도 없다. 오늘 최선을 다하고 오늘을 살아가며 또 가족과 사랑하는 모든 이들에게 즐거운 삶을 만들어가 보자. 오늘 리드하는 삶, 오늘 승리하는 삶, 오늘 열매가 주렁주렁 열리는 삶으로 엮어 가보자. 가슴을 열고 말이다.

아름다운 칭찬

 아름다운 칭찬은 마음을 움직이며, 많은 엔도르핀을 만들어낸다. 그러나 시도 때도 없는 칭찬은 모든 것을 파괴하게 만든다. 진정 어린 칭찬은 세상을 변화시키고 그보다 더 큰 아름다움은 없다.

 사탕은 달다. 자주 먹으면 입안이 즐겁다. 하지만 치아를 썩게 하고, 당뇨를 유발하고, 몸을 병들게 한다. 달콤한 칭찬은 독이다.

 기계를 잘 돌게 하기 위해서 윤활유가 필요하다. 이처럼 없어서는 아니되고 꼭 필요는 하되 남발의 칭찬은 아니함만 못하다. 사랑은 하되 진정한 사랑을 하자. 참사랑이, 보약과 같은 속사랑이 있어야 한다.

 칭찬은 고래도 춤추게 하고, 칭찬은 꽃도 더 아름답게 피게 한다고 한다. 우리는 칭찬을 참마음으로 하고, 비웃는 칭찬은 마음을 병들게 하고, 신뢰를 무너뜨리며, 상호 간의 대화가 중단될 수도 있다. 상대를 존중하는 마음으로 칭찬이 필요하고, 상대가 진정으로 느끼는 칭찬이 효과적이다. 크게는 생명을 살리는 귀한 칭찬이 되기도 한다.

세상을 살다 보면 잘한 것만 있는 것은 아니다. 때로는 부족하여도 그 사람의 능력이 100퍼센트가 아니더라도, 최선을 다할 때는 칭찬을 아끼지 말고 더 나아가 갈 수 있도록 힘을 실어주며 참칭찬을 하여야 한다.

칭찬은 모든 영역에 꼭 보약 같은 존재다. 사람이 살아가는 동력 같은 것이다. 자녀가 50점이라서 나무랄 것이 아니라, 분발할 수 있게 칭찬하여 60점을 받으면 크게 칭찬하자. 능력을 발휘할 수 있도록 용기를 넣어주는 것이 칭찬이다.

95점을 받았는데도 칭찬하지 아니하면은 상실감에서 도태될 수밖에 없다. 한계는 우리 마음속에서 정한 것이지 목적은 아니다. 무한한 능력의 한계는 아무도 모른다. 그리하여 능력을 다하여 열심을 다했을 때는 크게 칭찬하여, 앞으로 나아갈 수 있도록 힘을 실어주는 것이 칭찬이다.

오늘 우리는 돈 안 드는 칭찬 한마디를 해보기는 했는가? 아니면 그저 무의미하게 생각조차도 안 해보았는가? 그것도 아니면 칭찬보다 더 심한 책망과 원망으로 하루를 살았는가? 다시 한번 자신을 돌아보고, 더 나은 삶을 위하여 칭찬으로 사는 노력을 더하여 기쁨이 되는 가정과 형제와 이웃이 되기를 만들어가 보자.

진정한 부자

우리는 무엇으로 부자를 가늠할까? 부자들은 어느 시대에나 있었다. 부자는 무엇인가? 아들과 아버지 사이가 부자다. 이것은 거스릴 수 없는 진실한 부자다. 그 누구도 갈라놓을 수 없는 부자다.

그다음은 누구나 좋아하고 목숨까지도 던지는 돈이다. 돈은 얼마를 가져야 부자일까? 수십억 아니 수천억 가지면 부자인가? 물론 많이 가지면 부자는 맞다. 다음은 지식이 많아야 부자이다. 이 모두가 부자에 속한 단어이고 부자를 칭한다. 그러나 부자의 의미는 비우고, 나누는 자가 진정한 부자이고, 행복을 알고 사는 사람이다.

바보는 늘 싱글벙글 웃고 다닌다. 걱정과 근심이 없다. 매일 행복하다. 손에 가진 것이 없으니 늘 마음이 부자이고, 가장 행복한 부자이다. 가진 자는 근심과 걱정에 사로잡혀서 늘 불안한 세월 속에, 긴장을 놓지 못하고 얼굴에 웃음이 없다.

나는 하루하루 벌어서 살아가니 늘 삶이 쫓기듯이 빠듯하게 살고 있다. 세상에서 제일 부자는 내가 알기로는 건강한 사람이고, 이 세상을 다 가지고도 건강을 잃어버리면 아무리 가진 것이 많아도 가난한 자만도 못하다.

　故이건희 씨가 살아생전에 돈은 다 못 쓸 정도로 돈이 많았다. 그 많은 돈이 지금은 모두 남의 것이다. 건강을 잃고 세상을 떠나버리니 많은 재산도 무용지물이다.　돈은 사람이 만든 것이다. 우리가 죽은 후에 쓸 수 있는 것은 아니다.

　이처럼 돈은 살아있을 때 돈이다. 그래서 서로서로 도우며 살라고. 돈은 돌고 돌도록 만든 것이다. 이처럼 우리는 돈이 없다고 기죽을 필요도 없고, 돈이 다가 아님을 기억하자. 마음을 비우고, 건강을 잘 유지하는 자가 진정한 부자다.

　배우고, 노력하고, 지혜로운 사람이 부자다. 사람은 모든 삶에 지혜로 살고, 지혜롭게 행동하는 사람이 진정한 부자다. 즉 지혜는 돈을 쓸 줄 알고, 베풀 줄 알고, 돈을 아름답게 사용하는 사람이 이 세상에서 제일 부자고, 행복을 아는 자다.

　아무리 돈이 많아도 그대로 두면은 돈은 좀먹고 가치가 없다. 늘 부자는 베푸는 일에 앞장서고 이웃을 돌보는 자가 그 무엇보다 부자다.

　다시 말해서 부자의 기준은 비우는 자이고, 나누는 자이고, 베푸는 자이고, 함께 더불어 세상을 비추는 능력자가 가장 아름다운 부자다.

　우리의 삶이 어디에 초점을 맞추고 사는가? 더 가지려고 흑암의 돈을 바라보지 말고, 더 가지려고 남을 무시하지 말고, 더 가지려고 마음에 악을 가지지 말며,　오직 정직과 신뢰로 나누어가면서 아름다운 부자의 삶을 살아보자.

땀을 흘리고 부단한 노력이 행복의 지수이고 함께 세상을 바라보는 자가 부자이고, 오늘도 건강을 지키고 더불어 가는 진정한 부자의 삶으로 살자.

지금 나는 행복하다

인생길 굽이굽이, 돌아돌아 바람에 부딪치고, 물결에 떠밀리고, 가시밭 길을 지나서, 저 높은 산을 지난다. 지금 나의 사는 길이 잠시 여유를 맞 보면서 지난 삶이 머리에 스친다. 고난과 눈물이 떠날 날이 없도록 죽기 살기로, 오직 살겠다는 신념으로 지금까지 이겨내고 온 것이다. 남들처럼 훌륭한 모델은 아니고, 이름 없는 삶을 살았지만, 지금의 나의 이름이 빛 난다.

열 손가락이 피가 나고, 열 발가락이 동상이 걸리고, 밤이면은 피로가 겹쳐서 코피를 쏟기도 수 없는 날을 보내기도 하였다. 어린 나이에 일찍 가장이 되어서 생계를 책임지고 살았다. 매일 돈 걱정, 먹을 걱정, 밤이 되면 내일 걱정에 근심으로 날을 새기도 수없이 많이 했다.

내가 14살 때에는 시멘트가 42.638킬로그램이었는데, 혼자 힘으로 시 멘트를 들지 못했다. 어른들이 등에 올려주면 등에 지고 날랐다. 하루를 마치고 나면은 고단함에 씻을 힘도 없었다.

사람이 모질기도 하지만, 서러움에 울기도 수없이 하고, 없이 사는 죄로 이웃이 우리를 무시하기 일쑤다. 가진 것이 없다 보니 가진 자의 눈치를 보고 살고 , 가진 것이 없으니 나의 모습이 초라하기까지 하다.

저 높은 산을 넘기 위하여 고생할 때 나의 아내가 힘이 되어주고 , 내가 힘들어하면 자식들이 용기를 줬기 때문에, 지금의 내가 쓰러지지 않고 살아온 것이다. 세상 사는 것이 돌아보니 나를 있게 만든 사람은 아내이고, 가족이다. 또한 하나님의 은혜요, 하나님이 나와 동행하심이라.

항상 담대하라 일러주신 이가 하나님이시고, 부지런히 노력하라 하신 이도 하나님이시라. 나는 나를 통하여 복을 주시고자 하나님이 고난의 길을 이기게 하시고 , 단련한 후에 복을 주시니 더 감사함을 알고 있다. 내가 힘들어도 세상은 하나님이 움직이시고, 미천한 우리가 다 알 길이 없다.

지금 나는 행복하다. 또한 지나온 인생길이 열려있으니 두려움도 없다. 앞으로 나갈 길이 보이기도 하고 모든 것이 기쁨이요, 감사뿐이다.

내가 이 땅 위에서 사는 날까지 두려움 없이 찬양을 부르며, 자녀들의 삶을 보며 감사하리라. 이 글을 쓰면서 생각하니 죽는 시간까지 최선을 다하고, 죽는 순간까지 기쁘게 살아가리라. 예전에 어려움이 변하여 기쁨이되게 하신 여호와이레 찬송하리로다.

진실한 삶은 무엇인가

2023년 7월 18일 오후 7시. 현재 장맛비가 끝없이 내리고 있다. 수해를 당한 곳이 한두 곳이 아니다. 온 나라가 폭격을 맞은 것처럼 비명과 함께 아수라장이다. 천재지변이라서 하소연할 곳도 없다. 그저 막연하게 비가 그치기를 바랄 뿐이다.

이번 장마로 약 50여 명이 죽거나 실종 상태다. 인간의 무능함을 이번 비를 보면서 새삼 실감을 느끼고, 삶이란 무엇인가 다시 한번 돌아보는 기회가 되었다. 누구나 건강하게 오래오래 살다가 가고 싶은데, 이 모양 저모양으로 삶이 내 맘대로 되는 것이 아니다.

'무엇을 하며 살 것인가?'

우리는 이번 장마를 통하여 삶을 조명하고 생각하는 여지도 있다. 무엇이 그리도 아등바등 할 것인가? 무엇을 욕심을 내며 살고 있는가? 삶이 잠시 나그네 인생인데, 마음 상해가면서 살아가야 하나?

아니다. 진실한 삶은 무엇인가? 하루를 살다가 가더라도 인간으로서의 도리와 이웃 간에 정으로 살다가고, 형제간에 가슴에 못 박는 소리 하지 않는 것이 아닐까?

죽음을 통하여 이번 장마로 삶을 생각하니 우리는 안타까운 존재임을 본다. 허무함 속에 생명이 귀한 존재 임을 새삼 생각해본다. 우리는 약 50년 전만 하더라도 아침 인사가 밤새 안녕하십니까? 하고 어른들의 안부를 물어왔다 인사말 속에는 건강하신지, 또는 마음이 평안하신지, 인사 속에 마음을 전하는 진심이 있었다.

지금은 빠른 세월 속에 이웃 간에 인사도 없다. 스승과 제자 간에도 인사가 옛날 같지 않다. 가장 중요한 것이 서로 안부를 묻고, 이웃 간의 정감을 나누며 사는 것이 참다운 삶이란 것이다.

이번 장맛비로 많은 가정이 슬픔을 당하고, 집을 잃고, 가족을 잊어버리고, 눈물로 밤을 지새우니 안타깝지 않을 수가 없다. 허무한 것이 삶이요, 또한 삶이 아무것도 아닌 것인데, 한낮 한목숨 부지하려고 이웃과 원수되고 참 한심한 것도 인간이다.

조금 부족하면은 어떠리? 그저 마음을 비우고 살아가자. 이 모양 저 모양으로 세상을 떠날 때는 누구나 생명은 존귀한 것을 다시 보게 되니, 성낼 일 줄이고 이기려고 하지 말고, 지면서 사랑하고 사는 것이 이 땅의 삶이다.

힘들 때 위로하고, 어려울 때 나누고, 곤경에 처했을 때 도와주고, 슬플 때 울어주는 삶을 살아보자.

하늘이여 지금 당장 비를 그치게 하소서 . 온 나라가 죽음의 공포 속에 비와 눈물이 넘치나이다. 어쩌다가 이 나라가 어려움을 겪는지 빨리 회복할 수 있도록 하늘이여 도와주시옵소서.

뿌리로 살겠다

뿌리는 무엇인가? 뿌리는 조상님의 살아온 것, 밑거름을 뜻하기도 한다. 뿌리는 나무를 많이 비유하고, 든든한 뿌리가 있어서 넘어지지 않는 것을 뜻하기도 한다. 뿌리는 견고하고, 뿌리는 눈에 나타나지 않고, 사력을 다하여 넘어지지 않는다.

모든 나무를 바라보면 그 나무가 든든한 것인지 우리는 알 수 있다. 우리 가족의 구성도 가장이 든든해야, 그 가정이 순탄하게 살아간다. 그 나뭇가지가 벌어진 만큼, 뿌리도 길게, 깊게 나아가야 넘어지지 않는다. 가지가 많은 나무는 다들 바람 잘 날 없다고 하나, 뿌리가 깊이 멀리 있는 나무는 비, 바람에도 끄덕하지 않고 무성하게 잎과 꽃을 피운다.

뿌리를 통하여 가지는 근심 걱정하지 않고 아름다운 열매를 이루어낸다. 우리 가족 구성원도 어른으로 사는 가장이 뿌리를 잘 내려야, 그 자식들이 행복하게 살아간다. 뿌리는 말 없는 귀한 존재이다. 뿌리가 약하여 가장이 흔들리면, 가정의 화목이 깨지고, 잦은 불화가 생기고, 가정의 모든 것을 잃을 수도 있다.

이처럼 뿌리는 영양분과 물을 공급하여 같이 살 수 있도록 든든히 내려야 한다. 가장은 막중한 자리에서 자식들에게 삶의 공급원이 되어야 하고, 또한 뿌리가 병들지 말아야 구성원도 건강한 가정을 누리고 산다. 물론 뿌리는 정신도 건강하고, 뿌리는 밑거름을 잘 섭취하여 화목할 수 있도록 지켜내야 함도 있다.

부모는 자식을 잘 양육해야, 그 자식들이 훗날 아름다운 좋은 열매를 많이 맺을 수가 있다. 좋은 부모는 자식에게 재산을 물려 주지 않고, 낚시를 해서 고기 잡는 법을 알려준다. 인간으로 살아갈 수 있도록 모든 것을 주며 희생한다. 뿌리는 모든 것이 살아있을 때 존재한다. 언제나 뿌리를 통하여 영양이 공급되고, 언제나 뿌리는 가정을 든든히 지켜야 한다. 뿌리가 죽으면 그루터기가 되어서 흙으로 돌아간다. 그러나 그루터기가 되어, 사람이나 나무나 흙으로 변하여 자식들의 밑거름이 된다.

우리는 선조들의 그루터기로 이어지며 자자손손 이어가니, 뿌리가 있고, 내가 있다, 그루터기가 있어서, 그 영양분으로 후손들이 살아간다. 내가 숨 쉬는 동안 어릴 때는 모르고 자랐는데, 내가 뿌리가 되고 보니, 새삼 근본인 뿌리가 든든히 있어야겠다는 생각이 든다.

뿌리는 숨 쉬는 동안에 충실하게 있고, 그 자리에서 뿌리로써 책임을 다하여, 그루터기가 되어도 없어지는 순간까지 감사와 자리를 지키는 뿌리로 남고, 자손들이 열매를 맺을 수 있도록 뿌리로 살겠다.

있는 그대로

　잘난 삶은 행복에 겨워서 날마다 웃고 살고 있는가? 아니다. 잘났던, 못났던 도토리 키재기다. 내가 못났다고 기죽을 필요도 없고, 가진 것 없다고, 눈치 볼 일도 없이 사는 것이 우리의 삶이다.

　부자라고 하루에 이틀을 한 번에 살 수 없다. 사람의 능력은 우주 공간에서 자연을 거스르며 큰소리하며 사는 자가 없다. 숨 쉬고, 먹고 자고, 사는 모습이 부자나 없는 자나 다른 것 하나 없다.

　어찌 보면 가장 미련한 것이 사람이고, 어찌 보면 가장 똑똑하다고 큰소리쳐도, 자기 발에 자기가 넘어지는 것이 사람이다. 새나 동물들을 보라. 재산을 모으지 않고도, 자기 평생을 마음 편히 살다가 죽는다.

　부자는 더 가졌다고 으스대고 자랑한다. 남을 왕따시킨다. 인간은 어찌 보면 못된 짓만 골라서 하고 산다. 이러한 사람은 때로 사회 구성원에서 비난을 자처하고, 야유를 던지며, 살아가다가 뭇매를 맞기도 한다. 어머니 뱃속에서 숨소리조차도 기쁘게 들렸는데 어찌하여 배 밖에 나오니 인간의 모습으로 살면서 수리를 벗어나 욕심으로 가득 찬 것인지…. 알다가도 모르겠다. 사람의 마음은 악하기까지 하다.

오늘 그대로 살고, 오늘 그대로 보여주고, 진실을 가지고 평안하게 살면 조으련만…. 위선이 앞서고, 거짓이 난무하고, 가증하기까지 하니 서글프기도 하다. 사람의 모습으로 잘 사는 것은 있으면 나누고, 모르면 도와주고, 힘들 때 함께하는 것이 참다운 삶이다.

서로 옆집 안부 물어보며 사는 것이 행복이다. 나누고 두 배로 함께하는 삶의 정도를 나누고 협력하는 모습이 어떨까? 서로서로 함께 손잡고 가고, 혼자 더 가지려고 배신하지 말자. 서로 아웅다웅 싸우지 말자. 인간다운 모습으로, 바보 같은 삶이 되더라도, 더불어 함께 허허 웃는 마음으로 살자. 나그네 세상을 즐길 줄 알고 기쁘게 사는 우리가 참다운 모습이다.

죽어서 가져갈 것 없고, 살아서 맘 편하게 있는 그대로, 친구와 이웃과 산으로 들로 자연에서 벗을 찾자. 우리 훌훌 털고, 가진 것 가지고, 사람 사는 그대로 이웃과 더불어 진실되게 살자. 거짓 없는 마음으로 , 오늘 욕심을 버리고, 내일은 더 사랑하고, 모래는 한결같은 사람의 냄새로 자연과 순리로 같이 살아보자.

진정한 삶

가는 세월은 그 누구도 잡을 수도, 막을 수도, 거스릴 수도 없다. 하루의 삶이 무엇이며 어떤 게 사는 것이 진정한 삶인가? 네가 있고, 내가 있다. 서로 함께 하는 것이 사람 사는 세상이다. 가진 자는 힘으로 없는 자의 것을 빼앗아가고, 약한 자는 발붙일 곳도 없이, 힘든 삶을 사는 세상이다.

세상에서 우리는 무엇을 얻고자 사는 것인가? 무엇을 위하여 사는가? 우리가 태어나서 터득하고, 배우고, 부딪치고, 실수하고, 아파하며, 경험을 통하여 부를 누리려고 한다. 흐르는 세월을 아낄 줄 아는 자가 모름지기 삶을 아는 자라. 함부로 사는 것은 미련하고 힘자랑만 하고 실속 없는 삶으로 변한다.

웃고 인사하며, 나누며, 더 좋은 세상을 만들기 위하여 노력하자. 더 좋은 마음으로 세상을 크게 바라보며, 미래를 개척하는 자가 존경받아 마땅하다. 우리는 그런 삶을 향해 멍에를 같이 메고 가야 한다.

밀물처럼 빠른 세월, 번개처럼 지나가는 세월을 부질없는 욕심으로 허송하지 말고, 부지런히 노력하자. 오늘도 더 많이 이해하고, 사랑으로 살자. 흐르는 세월을 아끼고 존경하며 서로서로 믿고 살자. 매일 나를 먼저 돌아보는 시간을 가지고 바른 삶으로 나아가자. 하루를 뜻깊은 삶을 엮어가 보자.

나무가 하루에 1m씩 뛸 수 없듯이 우리는 큰 것에 목숨 걸지 말고, 작은 것부터 실천하는 세월을 이어가자. 냇가에 있는 물은 깊은 곳에 도달하면은 그곳에 물이 가득 차야 다시 흐른다. 자연은 절대로 부정하게 흐르지 않고 오직 정직하게 흐른다. 우리도 사는 날까지 부끄럽지 않은 순리로 살고, 흐르는 세월을 도리를 다하고, 법을 준수하고, 부모·형제 공경하고 우의 가지자. 물처럼 유수를 자연스럽게 살아가 보자.

오늘 정직하고, 오늘 최선을 다하고, 오늘 당당하게 부끄럽지 않게 살자. 절대로 남의 것을 탐내지 말고, 내 것으로 기쁘게 사는 것을 배워가며, 순리로 유수같이 항상 행복한 마음으로 마음의 부자로 살자.

빠른 세월 속에 마음을 다하고, 노력을 다하고, 한 우물을 가지고 나누자. 한 점 부끄럽지 않은 하루하루 살아가자.

나는 진정한 사람의 모습으로 사는가?

다시 한번 점검하고 마음이 유하고 사랑이 한없는 사람으로 살아보자.

상대의 입장에서

고요한 밤이다. 오고 가는 발걸음은 가끔씩 있고, 고요한 이 시간 자동차 소리만 경적을 깨운다. 인도에 있는 가로등은 졸음을 이기려고 안간힘을 쓴다. 가로수는 졸면서도 가로등 빛 때문에 밤잠을 못 잔다고 원망하고 있다.

이와 같이 세상 속에는 서로가 다 자기 입장에서 상대를 이해하려고 하지 않는다. 가로수는 밤이슬을 이불로 맞으며 단잠을 자고, 이웃에 있는 가로등은 졸음을 쫓아가며, 길을 밝혀준다. 서로가 자기 자리에서 최선을 다하지만, 우리는 상대를 도우려고 하지 않고, 서로 불신을 하니, 우리가 사는 세상은 암흑 같은 삶으로 산다. 사람들은 이 밤에 내일을 위하여 꿈을 꾸며, 깊은 잠에 취하여 모든 것을 잊고 쉼을 한다.

시계는 어김없이 돌아가고, 또 날이 밝아오면, 우리는 일상에서 부단히 바쁘게 삶을 위하여 살아가고 있다. 무엇을 위하여 다람쥐 쳇바퀴 돌아가듯이 살며, 인생이 어디서 오고 어디로 가는 삶을 사는지, 무엇을 찾는 것인지, 모두가 정신없이 살고 있다. 피곤함을 안고 몸부림을 치면서, 쌓이는 스트레스를 가지고 육신을 지킨다. 모두가 삶의 무게가 세 덩이보다도 무거운 삶이다.

조용한 이 시간, 나는 잠시 생각을 해보니 빠르게 흐르는 세월을 살면서, 나, 우리만 외치며 살았다. 돌아보니 부끄럽다. 우리는 남의 도움은 당연하게 받으면서도 내가 베푸는 것은 인색하지는 않았는지 돌아보게 한다.

많이 늦었지만, 그래도 먼저 나 자신부터 사랑하자. 피곤하고, 어렵지만 이런 삶 속에서, 봄의 작은 새싹처럼 이웃을 돌아보자. 상대의 입장에서 마음을 열고, 가슴을 열고, 진심 어린 사랑으로 대하고 전하고 보듬어가자.

문명이 발달하니 모두가 빠른 세상에서 마음을 닫으니, 이웃이 보이지 않는다. 오로지 범죄만 늘어가고, 오로지 남을 밟으려고 한다. 우리 스스로 어둠의 세상으로 빠지고 어둠을 좋아하는 이상한 삶을 살고 있다. 다 그런 것은 아니지만, 그래도 온정을 베푸는 아름다운 손길들이 이름 없이, 빛없이 사랑을 전하고 있다. 험한 세상에 작은 빛을 비추는 손길 덕분에 사회가 밝아진다.

모든 사람을 가슴을 따뜻하게! 우리 주위를 난로보다 뜨겁게 우리 한번 데워 가보자.

연로한 어른을 찾아 뵙고 위로하고, 젊은이들에게 정직과 희망을 전하자. 세상의 모든 사람들이 기쁨이 되도록 우리부터 변하고, 우리부터 실천해 가보자.

눈 덮인 설경에서 마음을 깨끗하게 마음을 정리하고, 눈처럼 어두운 세상을 깨끗한 세상으로 바꾸어 나아가 보자. 움막집에 살아도 이웃과 함께하는 삶이 아름답지 않은가? 고대광실 좋은 집에 살면서 이웃을 모르면은 사람의 모습이나 동물과 같은 생각 없는 빈 수레와 같다.

　삶은 나누는 것이고, 함께하는 것이고, 이웃과 많은 대화를 하는 것이다. 이처럼 나만 생각하지 말고 베풀어서, 이웃을 친구로 삼고, 따뜻한 세상에 빛을 전하는 우리가 되기를 간절히 소망하여 본다.

우리가 가는 길

사람은 생각대로 말하고 배운 대로 행동하는 습관이 있다, 오염된 물속에 있는 고기는 일찍 죽고, 부패도 빨리 된다. 깨끗한 정신을 가지면, 두뇌도 맑고, 생각도 밝다. 사람의 모양은 같으나, 모두가 가는 길이 비슷하게 보여도, 삶과 모양과 행동이 전혀 다르다.

하루하루가 시간에 쫓기고, 사회 물결에 쫓기고, 어떤 이유로든 바쁘게 살아간다. 여유로운 삶이라고 하지만, 돈이 많은 것도 아니다. 거지들은 가진 것 없어도 여유롭다. 옷이 더러워도, 머리를 안 감아도, 몸에 냄새가 나도, 세상이 무너져도, 천하태평이다. 마음이 여유롭다, 왜일까? 그들은 가진 것 없어서 도둑맞을 일 없고, 어디를 가든지 누구 눈치를 보지 않는다. 그저 발길 닿는 데로 살아간다.

우리는 무엇 때문에 안달하고, 사는 방향을 잊어버릴까? 그렇게 사는 날들이 무수히 많다. 사랑을 잊어버리고, 행복을 잊어버리고, 나만 살면 된다고, 이기적인 생활을 한다. 이웃을 만나지 않고, 친구와 직장 동료를 비교하며, 경쟁심으로 살아간다.

우리는 거지들처럼 한발 늦게 가는 법을 배우고, 마음을 비우는 법을 배우고, 내가 가는 길이 함께 가는 길인지 다시 한번 생각하고 살자. 마음에 위로가 나를 섭섭하게 다가와도 한발 물러서면은 세상일이 아무것도 아니다. 그저 흑과 백일 뿐이다.

우리가 가는 길에는 수많은 장애물들이 기다린다 . 넘어질 때 일어서는 힘을 기르고, 실패할 때 정신을 차리고 다시 점검하고, 일어서는 용기를 가지고 전진하면 된다.

실패하지 않는 꽃길은 없다. 후회하지 않고 점검은 없다. 수많은 길에는 꽃도 보이고, 새도 보이고, 산천도 보인다. 걱정하면 보이는 것이 두려움으로 보이기도 하다. 그러나 길은 다양하다. 스스로 길을 선택한다. 나의 목표가 중요하다.

학자의 길, 정치의 길, 사업의 길, 사업가의 길 등, 수 없는 길 속에서, 나의 진주를 내가 발견하는 마음과 안목이 나를 성공의 길로 가게 만든다. 많은 사람과 대화를 많이 하고, 많은 사람을 만나고 협력할 때, 최고의 길이요, 성공으로 가는 길이 보인다.

사람은 정도의 길을 택하고, 많이 배우려고 노력하고, 작은 것을 함께할 때 그 길은 중요한 길이다. 밝은 마음으로 깨끗하게 세상을 먼저 바라보고 나의 길을 가며, 부를 찾기보다 진실을 찾고, 함께하는 길, 마음을 여는 길을 택하여, 세상에 나의 존재가 어디로 가는지 점검하고, 잘못된 판단이 보이면 빨리 유턴하는 지혜도 필요하다.

인생은 태어나는 순간부터 죽은 길로 가는 길이다. 어차피 가는 길이라면 후회 없는 길을 선택해서 기쁨이 있는 길, 함께하는 길, 존경을 주고받는 길로 가자. 노래하며 천국으로 가는 모두의 삶의 길을 웃으며 가보자.

하루를 어제처럼 산다면

　　새벽 5시에 일어나서 출근을 준비한다. 세수하고, 머리 감고, 정신을 차린다. 간단하게 아침을 해결하고, 승용차를 타고 20분 걸리는 동대구에 있는 아파트로 출근했다.

　　밤사이 근무를 한 기전 주임과 교대하고 일과를 시작한다. 오늘은 무슨 일이 일어날까? 걱정과 근심이 나를 짓누른다. 나의 앞일은 알 수 없는 시간 속에, 매일 똑같은 일이 반복된다. 밖에 날씨는 화창하고, 오고 가는 모든 사람들의 발길이 바쁜 모습이 눈에 띈다. 하나같이 바쁜 걸음으로 가는데 문득 어디로 가고, 어디에서 무엇을 할까 궁금하기도 하다.

　　시내버스는 아침 새벽이라서 손님이 별로 없고, 거의 빈차로 가고 있다. 달리는 차들은 이길, 저길 바쁘게 요란하게 움직이고, 사람들은　지하철로 가는 이, 택시를 타는 이, 이리 들어가는 사람, 이리 나오는 사람 다양하다. 도시는 요지경이다.　어쩌다가 시골 노인들이 도시에 오면 갈 길을 모르고 방황하는 모습도 가끔씩 눈에 띈다. 도시에 사는 사람들은 요리조리 잘도 가고, 잘도 자기 집을 찾아간다. 도시는 별의별 사람이 있다 보니 사건·사고도 많다. 두 눈 부릅뜨지 아니하면 내 코가 언제 도난당할지 모르는 곳이 도시다.

그래도 각자 자기 일을 위하여 분주하게 도시는 굴러가고, 하루가 다르게 발전하는 곳도 도시다. 우리 혼자 도시를 살아갈 수 없다. 독불장군도 없다. 서로 자기 분야에서 자기 능력을 발휘하고 열심을 다할 때, 나의 삶에 보람과 보상이 주어진다.

오늘 나는 반복되는 일상에서 보람을 남기지 못한 것 같다. 하루를 어제처럼 산다면, 변하지 않는 삶이다. 덧없는 하루를 생각하니 나의 발자취에 남김이 없고, 하루를 알차게 마음먹었지만, 노력만 했을 뿐, 성과도 없는 하루다.

같은 직장에서 작은 말 한마디라도 힘이 되는 말을 할 걸 후회도 된다. 나는 돌아보니 귀한 시간을, 알차게 보내어도 될 시간을, 바보처럼 넘기고 말았다. 내일은 더 발전할 준비를 하며, 오늘 반성하고, 큰 꿈을 그린다. 이 밤에 휴식으로 들어간다.

마음의 청소

청소란 무엇인가? 한자로는 맑을 청(淸)과 쓸다 소(掃)로 나와 있다. 우리가 중요하게 여기는 청소는 무엇일까? 집안 청소일까? 아니면은 마음의 청소일까?

청소는 여러 가지를 의미로 생각해 볼 수 있다. 먼저 가장 중요한 자기 자신부터 청소가 중요하고, 주변이나 불의를 청소하며, 자신의 지난 삶을 돌아보고, 지난날의 잘못된 행동이나 언행들을 청소해야 한다.

부모·형제들에게 갚을 빚이 있다면 마음으로부터 용서를 빌고 빚을 갚자. 청소하고 깨끗한 길로 나아가자. 몸은 더러워도 마음은 항상 깨끗하게 가지자. 정신도, 행동도, 청소하며 아름답고 깨끗하게 사는 것이 가장 중요하다.

욕심 때문에 더러워지고, 하찮은 것에 눈이 어두워지면 더러워진다. 우리도 알게 모르게 더러워진 행동과 마음으로 살아갈 때가 많이 있다. 집안 청소, 골목 청소, 여러 모양의 청소를 해야 한다. 마음으로부터 진정한 청소를 하고, 사람의 정직을 무기로 삼고 살아가야 한다.

청소는 물이 필요하다. 오염된 공기를 하늘에서 비를 내려 청소하듯이 우리에게는 청소가 중요하다. 남의 것 탐내지 않은 마음의 청소, 남에게 상처를 준 곳 청소, 무심코 길거리에 양심을 버리는 반성하는 청소가 필요하다.

다 열거할 수 없는 청소가 있지만 그래도 사람으로 살아가는 세상에는 기본적인 청소와 양심적인 청소와 공중도덕적인 청소도 있다. 무심한 행동에 남들이 청소를 하는 일이 없어야 한다. 우리는 무질서가 마냥 자유로운 줄 알지만, 부끄러운 줄 알고 법을 준수하고, 공중도덕을 지키므로, 자기 청소를 다하자. 함께 살 수 있는 부정한 청소를 겸하여 더 밝게, 더 깨끗한 사회를 우리 스스로 이루어 가야 하지 않을까?

나의 행동으로 다른 사람이 쓰레기 같은 인상을 심게는 절대로 하지 말자. 나부터 깨끗하고 정의로운 행동과 언행이 하나가 되게 살자. 정치인들처럼 눈만 뜨면 거짓말하고, 눈만 뜨면 상대를 비난하는 더럽고 추한 행동도 하지 말자. 언제라도 꼭 청소를 해야 할 숙제다.

어린이날

23년 5월 5일. 오늘은 어린이날이다. 미래의 주인공을 사랑하는 뜻깊은 날이다. 아이들은 아침 일찍부터 일어나서 설레는 마음으로 기대를 갖고, 선물을 달라고 야단이다. 내가 어렸을 때는 형편이 어려워 어린이날을 기억하고 자라온 기억이 없다. 그 시절에는 소파 방정환 선생님이 창간한 어린이날이 선포한 날이기도 했지만, 나의 어릴 적 추억은 노래를 부른 기억뿐이다.

날아라 새들아 푸른 하늘을

지금처럼 선물이라는 단어도 모르고 어린 유년 시절을 보냈다. 이미 지나가버린 옛이야기일 뿐이다. 시대가 참 많이도 변했다. 지금의 모습이 그때 우리와 전혀 다른 세상이다.

어린이는 가정의 보배이고, 어린이는 국가의 미래를 이어갈 튼튼한 기둥이다. 그 나라의 미래는 아이들의 꿈이 살아있어야 하고, 아이들은 세계를 향하여 날개를 펼칠 수 있도록 뒷받침과 교육이 함께 해야 한다. 아이는 나의 소유물도 아니요, 한 인간으로서의 인격체로 사랑받을 권리가 있다.

아이를 보호하고 양육할 권리도 따라야 한다.

부모 마음에 부족하다고 아이를 함부로 인격을 짓밟을 때가 있다. 뉴스를 통하여 가슴 아파하며, 발을 동동 굴릴 때도 종종 있다. 앞에서 말했듯이 아이는 부모님의 소유물이 아니란 것도 명심하고, 아이를 보호할 책임도 갖추어서 부모님으로부터 마음에 상처가 되지 않도록 오기 그릇 다루듯이 소중히 키워가야 한다.

오늘 어린이날 밖에는 비가 내린다. 나들이가 불편할지라도. 부모님은 최선으로 아름다운 아이들을 즐겁게 하여, 꿈나무 아이들이 길이길이 꿈을 꾸도록 양육하고, 보호하고, 사랑하는 어린이날이 두었으면 바람이다.

오늘 일평생 간직할 수 있는 꿈을 가지게 하자. 부모님은 기쁘고 즐거운 밑거름이 되기를…. 어린이날을 맞이하여 밝게 맑게 웃을 수 있는 아이들이 다 자라서 성공하는 사람으로 성장하는 계기가 되기를 기대해본다.

기회

우리는 모든 일에 주어지는 기회를 차지하려고 부단한 노력을 하고 산다. 똑같은 생활 속에서도 기회를 잘 포착하고 기회를 잘 잡으면, 한순간에 부자도 될 수 있고 유명인이 되기도 한다. 기회는 우리 삶에 가장 중요하다. 기회가 주어질 때 포착하는 것이 능력이다. 우리는 어떤 것을 기회라고 할까?

여러 가지가 있겠지만 기회는 자기 분야에서 흐름을 알고 멀리 보는 안목도 있어야 한다. 공부할 수 있을 때 공부해야 하는 기회, 좋은 대학에 갈 수 있는 기회, 좋은 직장에 입사할 수 있는 기회, 또는 좋은 배필을 만날 수 있는 기회….

사람 사는 세상은 수많은 기회가 널려있다. 나에게 기회가 없다고 불평 말자. 기회는 누구에게나 평등하게 온다. 앞선 세대들도 기회가 있었고 지금도 기회는 흐른다 . 육신이 병들면 고칠 수 있는 기회가 병원을 통하여 고칠 수 있다. 꼭 성공은 아니라도 얻을 수 있는 기회는 무수히 많다. 바쁘게 살아도 기회가 있을 때 좋은 선생님을 만나고, 기회가 주어질 때, 씨를 부려서 더 많은 수확을 얻을 수 있다.

나는 60 후반에 배움의 기회를 얻었다. 공부하며 한자, 한자 지식을 얻고 수확을 거두는 중이다. 우리는 때를 따라 지혜롭게 기회를 포착하고, 정직하게 포착하여 모두가 좋은 세상에서 날마다 부를 더하고, 날마다 기쁨이 더하기를 꿈꾼다. 오늘도 나의 기회를 잡으려고 노력한다.

있을 때 잘해

　인생사 굽이굽이 사람이 살아가는 데는 필요한 요소들이 많다. 오늘, 내일이 오늘 같을지라도 분명한 것은 오늘은 오늘뿐이다.

　지금 병원에서 입원 치료 중이다. 계절은 분명히 따뜻한 날씨가 있다. 꽃이 피는 봄이다. 병실에서 밖을 바라보고 있노라면 지난 추억과 흘러간 시간들이 새삼 그리워진다.

　항상 좋은 날만 있었던 것은 아니다 울 때도 있었고, 웃는 날도 있었다. 분명한 것은 웃고 사는 시간이 부족했던 것 같다. 누구나 같은 삶을 사는데도, 늘 감사가 부족했고, 늘 나만 힘들다고 원망했던 것은 아닌지….

　오늘 입원환자가 들어오고 퇴원하는 사람들이 분주하게 들락거린다. 밤 사이 환자를 돌보는 간호사님 들의 헌신적인 노고와 수고가 새삼 위대하게 보인다. 가족이 아닌 환자들이 고통에 힘들고, 갖가지 요구가 다양하게 있어도, 웃는 얼굴로 정성을 다해 간호하는 모습이 정말 존경스럽고 또 존경하는 마음이다.

병실은 늘 고통이 있는 곳이고, 환자들은 근심에 마음들이 무겁고 어둡다. 그러나 병실은 조용해야 하고 쾌적해야 하는 곳이기도 하다. 밖에 보이는 경치가 환자들의 마음을 푸근하고 편안하게 위로하여 준다.

나도 환자가 되고 보니 가족이 새삼 소중하고, 가족은 나의 위로와 큰 힘이 되어주는 마음의 치료약이다.

있을 때 잘해

노래 가사가 가슴 깊이 와닿는다. 부부는 괴로우나 즐거우나 함께 하기에 더욱 소중하다. TV에서 한 할머니가 우시는 모습을 보았다. 할아버지께서 일찍 돌아가시고 안 계시니, 할머니는 지난 그리움이 사무치시는 모양이시다. 지난 삶들이 주마등처럼 지나고 보니 할아버지 생각에 사무치는 그리움이 마음에 맺혀있다.

우리는 서로 살아 있을 때 감싸고 많은 대화가 필요하다. 서로 존경하고, 서로 위로하고, 감사를 많이 표현해야 한다. 나이가 들어도, 몸은 느려도, 정신은 20대로 늙지 않고 있다, 그래서 늙으면 경험이 쌓이고, 지혜가 삶에 연륜으로 묻어난다. 나이는 숫자일 뿐이다, 향기는 없어도 늙은 것은 고상하고 아름답다. 인생이 길다면 길어도, 아침 햇살에 잠시 보이다가 없어지는 이슬처럼 사는 것이 우리의 삶이다.

이처럼 짧은 세월 속에 살면서 우리는 서로 미워할 시간이 없다. 삶에 모든 숙제를 끝내고, 이 땅을 떠날 때에 아름답게 떠나는 것이 진정한 우리의 삶이다. 부부는 그저 바라보고, 함께하고, 감싸주고, 사랑으로 사는 것이 사명이고 진리이다. 서로 계산으로 살지 말자. 믿음으로 살자. 마주 보는 할미꽃처럼 살고 가자.

병실에서 지난 삶을 돌아보니 가족들에게 못 해준 미안함이 새삼 생각
난다. 더 좋은 사랑으로 참되고 아름답게 살리라. 할미꽃처럼.

가정

살다 보면 바라볼 때가 있고, 살다 보면 외면할 때도 있다. 한국 속담에 길 갓 집 못 짓는다는 속담이 있다. 모두가 생각이 각각 다르고, 성향이 다르고, 환경이 다르기 때문이다. 길을 걷다 보면 산도 보고, 들도 보고, 흐르는 강을 바라볼 때도 있다. 볼 것, 못 볼 것 다 보고 살아간다. 버릴 때가 있는가 하면, 버린 것을 도로 찾을 때가 있다. 나눌 때가 있고, 주었던 것을 도로 빼앗을 때도 있다. 기뻐할 때가 있고. 눈물 흘릴 때도 있다. 때로는 삶이 힘겨워서 모든 것을 포기하고 싶을 때도 있다. 그것이 우리의 삶이고, 그것이 우리가 인내하고 가는 길이다 .

그러나 삶이란 가시밭을 지나고, 깊은 강을 건너고, 광야가 보이며, 안식처가 눈앞에 보이는 것이다. 마음이 열리고 희망이 보이면, 우리는 다시 도전하고 용기를 내며 힘차게 전진하는 용기를 갖는다.

산전수전 거치고 나면 두려울 것이 없고 낙심할 시간도 없다. 두 발로 뛰고 전진하여야 하기 때문이다. 고난 뒤에 시간은 모든 것을 치유하고, 모든 것을 회복시켜준다. 무엇을 먹을까, 무엇을 입을까 걱정하지 말자. 모든 것을 하늘에 맡기고 다시 뛰자.

세상 부귀는 아니라도 오늘 나에게 살아있음에 기뻐하자. 오늘 가족이 있음에 감사하자. 오월은 함께하는 가정의 달이다. 잊어버린 사랑을 회복하고, 귀하고 보배로운 가족의 소중함을 느껴보자. 미워하기보다 존경하고, 상처주는 말보다 상처를 감싸주고, 모든 말에 위로하고 용기를 전하는 오월을 함께하면 좋겠다.

한송이 장미를 화병에 꽂아놓고 바라만 보아도 이렇게 즐거운데, 하물며 생명이 살아 숨 쉬는 우리 가족은 얼마나 아름다운가?

삶을 통하여 축복의 통로를 열고 더 행복한 모습으로 사는 것이다. 철모르고 버린 것을 다시 찾고, 멀리 갔던 발걸음을 그리운 집으로 돌아가고, 파랑새를 찾아서 멀리 가지 말고, 가까운 부모·형제가 있는 집에서 파랑새를 찾아보자.

인생은 허무한 것이 아니다. 인생은 이 지구 위에서 가장 복되고 아름다운 존재이다. 가정은 하늘이 맺어주는 것이니 더 소중하게 여기고, 더 많이 사랑하자.

우리는 언제나 어디서나 사랑하고 위로받는 존재이고, 오월을 맞이하여 가정의 소중함을 간직하기를 바라본다.

이 세상에서 가장 아름다운 것

봄이 되니 달팽이가 등에 집을 지고 나들이 산책길에 나선다. 돌을 지나서 나뭇가지를 넘어서 누굴 만나러 가고 있을까? 위험을 무릅쓰고 코를 벌렁거리며 숲속을 기어가는 모습이, 겨울을 털고 고단한 가장이 집을 나서는 모양과 같이 느껴진다. 등에 집을 지고 힘겨운 삶을 사는 달팽이처럼, 우리도 삶의 고단한 짐을 이고, 지고 살아간다.

하늘은 어제나 오늘이나 변함이 없는데, 사람은 왜 고단함을 안고 삶을 살아가야 하나? 나는 알 수 없지만 그래도 우리는 매일의 삶 속에서 배우고, 터득하고, 삶의 무게를 지면서 가시밭길을 묵묵히 가야 한다. 숨이 턱에 차도록 노력하고, 애쓰고 사노라면 하늘 보고 원망할 시간 없이 살아가는 것이 우리의 삶이다.

힘든 가운데에서도 웃고 사는 시간도 부족하다. 그저 살고 또 살다 보면 기쁨도 있다. 내일은 분명히 더 나아지는 삶이 될 것이다.

달팽이도 힘겨운 삶이 지속되어도 가고 또 가고 불평하지 않는다. 거북이도 앞만 보고 기어가니 얼마나 힘든 여정일까? 그러나 한마디 불평하지 않는다. 작은 미물도 자기 소임을 다하고 목적지를 바라보고 간다. 남은 인생을 불평하지 말고 꽃처럼 화려하지 않아도 어떠리, 아카시아꽃처럼 두려움 버리고, 향기만 발하고, 예쁜 것만 바라보고, 위안을 삼고 살자.

이 세상에 가장 아름다운 것은 사람이며 생명이다. 그저 부대끼며 사는 것이 행복인 것을…. 살다가 힘들면 잠시 쉬면서, 시원한 냉수로 가슴을 열어보자. 가다가 힘들면은 바위틈에 앉아서, 비 맞은 스님처럼 중얼거려 보자.

푸른 숲에는 나무만 있는 것이 아니다. 숲에는 풀과 물과 많은 생명들이 함께하고, 약초며, 숲의 노래도 있다. 숲속에 나무처럼 바람 부는 대로, 마음도 즐겁게, 오늘도 내일도 즐겁게 달팽이처럼 불평하지 않은 삶으로….